D1514604

ORPLID BÜCHEREI
BAND 11
JEAN PAUL | ROSE UND FACKEL

JEAN PAUL

ROSE UND FACKEL

GEDANKEN UND BETRACHTUNGEN

Gesammelt und herausgegeben

von

MAX ROHRER

PHILIPP OTTO RÖHM VERLAG STUTTGART

INHALT

VORWORT

„Sprachkürze gibt Denkweite" — dieses Wort des großen, noch immer verkannten Jean Paul Friedrich Richter wird seine Wahrheit an jedem erweisen, der sich in die Aphorismen des Dichters vertieft. Die „abgerissenen Einfälle", Gedanken und kurzen Betrachtungen, die Richter in und zwischen seine Haupt- und Nebenwerke, in Almanache und Zeitschriften verstreute, bekunden ihn als einen der bedeutendsten Geister der deutschen Literatur. Zwar ist er kein Philosoph, kein systematischer Nachdenker und Durchdenker großer Probleme, — er ist weniger und zugleich mehr: ein poetischer Denker, ein intuitiv Erkennender, der Welt und Menschen ahnungsvoll in die Tiefe schaut, und zuweilen auch ein Vorausseher, ein Prophet. Er gewinnt seine hinreißenden Einsichten leichter mit den Sinnen und mit dem Herzen als mit dem Hirn. Er philosophiert in einer Art Helltraum — und greift bisweilen sehr neben die Wahrheit — häufig jedoch tut er Blicke in die Menschenseele (nicht zuletzt in die weibliche), in die Geschichte der Menschheit und in den weltenschaffenden und weltenbewegenden Geist, und weiß solche Einblicke mit der erstaunlichsten Wortkürze zu offenbaren und mit oft verblüffenden Bildern zu belegen. Wie sehr die Erkenntnisse Richters auf intuitive Schau zurückzuführen sind, erhellt aus der Tatsache, daß schon der weltunerfahrene Jüngling in seinen Frühwerken tiefe Wahrheiten zu verkündigen weiß, während andererseits die jahrzehntelangen philosophischen Bemühungen des reifen Mannes, die persönliche Unsterblichkeit zu beweisen, in Stößen von Papier wie im Sand verlaufen.

Die hier zum Büchlein gesammelten Einfälle, Gedanken und Betrachtungen Jean Pauls sind ausgelesen aus seinen sämtlichen Werken; manche sind aus ihrer weitläufigen Fassung — dem Kapitel irgendeines Prosawerkes — herausgebrochen, andere sind vom Dichter selbst als lose gereihte Aphorismen veröffentlicht worden. Nur ausnahmsweise ist längeren Beiträgen durch Kürzungen eine konzentriertere Form gegeben, etwa durch Weglassung von allzu breit ausgeführten oder hinkenden Vergleichen. Im allgemeinen ist Richters Vergleichssucht, die er selber zuweilen verspottet hat, gerade in den „abgerissenen Einfällen", „Polymetern" usw. zur Meisterschaft entwickelt, sodaß das Gleichnis zum erhärtenden Beispiel, bisweilen sogar — nach seinem eigenen Wort — zum Grunde gesteigert wird. — Veraltete, schwer- oder mißverständlich gewordene Ausdrücke wurden durch die entsprechenden zeitgemäßen ersetzt, Pupille durch Mündel, blöde durch schüchtern u. dgl. Selbstverständlich hat der Ausdruck „Weib", von Richter gebraucht, nie den entwertenden Sinn, den wir ihm heute zumessen. — Erläuterungen und Zusätze in eckiger Klammer stammen vom Herausgeber, solche in runder Klammer von Jean Paul selbst. — Richters Vorbild gemäß unterließen wir eine Reihung der Aphorismen nach Stoffkreisen, die leicht etwas Ermüdendes hat; eine bunte Blumenwiese entspricht mehr dem Wesen Jean Pauls als ein Zuchtgarten mit gesonderten Beeten. Möge der Leser da und dort ein paar Blüten pflücken und sich ihrer in recht eindringender Betrachtung erfreuen. Dabei werden auch Menschen unserer Tage finden, daß dieser beinahe vergessene Schriftsteller noch sehr lebendig ist und der Gegenwart vieles zu sagen hat. So möchte dieses kleine Buch dazu beitragen, daß sich die Hoffnung erfülle, welche der junge Richter in seiner „Unsichtbaren Loge" aussprach: „Und eben dieses, daß die Hand eines Menschen über so wenige Jahre hinausreicht und daß sie so wenige gute Hände fassen kann, das muß ihn entschuldigen, wenn er ein Buch macht. Seine Stimme reicht weiter als seine Hand, sein enger Kreis der Liebe zerfließet in weitere Zirkel, und wenn er selber nicht mehr ist, so wehen seine nachtönenden Gedanken in dem papiernen Laube noch fort und spielen, wie andre zerstiebende Träume, durch ihr Geflüster und ihren Schatten von manchem fernen Herzen eine schwere Stunde hinweg."

Max Rohrer.

ABGERISSENE EINFÄLLE
Erstes Hundert

1

Aurora, du Rosengöttin der Dämmerung, mögest du diesem Buche beides aus deinen Händen herleihen, was die alten Maler in sie gaben: die Rose in die rechte, die Fackel in die linke! — nur lasse jene nicht stechen, diese nicht sengen! Milder Duft und mildes Licht sind genug.

2

Dämmerung übrigens ist ein so erquickliches Bild, sie führe uns nun der Sonne oder den Sternen zu. Wer konnte je den Frühgottesdienst einer Frühlingsdämmerung voll Lerchen und Blüten vergessen, wenn er ihn gefeiert hatte? Denn was war der ganze Tag dagegen? In der Dämmerung regiert das Herz.

3

Mit den deutschen Wunden sind zugleich auch die deutschen Ohren offen; daher rede Heilsames, wer es vermag, und möchten nur Männer, die es am besten vermöchten, jetzo nicht schweigen! — Die neue Zeit fordert neue Kräfte. Neue Staatsschiffe lassen, wie neue Boote, noch Wasser ein, bevor sie zugequollen sind.   (1809)

4

Die Furcht entschuldige mit keinem Zwange ihr Schweigen. Wer nichts anderes aussprechen will als das Gute — aber nicht sich oder schlechtes Hassen und Schmeicheln — kann stets unangefochten reden; nur habe ein wilder Gracchus immer die Flöte der Humanität und Dichtkunst hinter sich, um damit die Stimme zu stimmen.

5

Im Schreiben und im Handeln trägt so manche gute Tat nicht die vollen Früchte, nur weil man die Persönlichkeit gleichsam als Schadloshaltung der Arbeit mit einschwärzte.

6

Wenn die Dämmerungen gerade da am längsten dauern, wo sie am wohltätigsten sind, in kalten Ländern, so wäre der Verfasser für die wenigen Strahlen, die er weniger gibt als bricht, belohnt genug, wenn sie seinem eben nicht unter dem wärmsten Himmel liegenden Deutschland einige dunkle Viertelstunden ersparten oder erhellten. — Getauet hat es in die Blumen genugsam — aus Augen und Wunden —, gehe dann eine heitere Sonne über die nassen Gefilde auf und lasse diese schimmern! (1809)

7

Die Menschen wie die Völker treibt zuviel Glück, wie zuviel Unglück, in die Unsittlichkeit hinein; so stecken sich die Teichfische nur bei Übermaß der Kälte und der Wärme in den Schlamm.

8

Die Leiden sind wie die Gewitterwolken: in der Ferne sehen sie schwarz aus, über uns kaum grau.

9

„Ich hatte das Glück, unglücklich zu sein", darf zuweilen ein Volk so gut sagen als ein Mensch. Verunreinigte Völker gleichen Strömen, welche ihren Schlamm nur fallen lassen, wenn sie sich zwischen aufhaltenden eckigen Ufern durchkrümmen.

10

Deutschland war lange ein Wald; aber nach Wäldern ziehen sich Gewitter und Regen.

11

Wirst du, künftiges Deutschland, das jetzige, welches dich zeugt, so verkennen in seiner lichtlosen Gestalt, wie Telemach seinen ärmlich gekleideten Vater Odysseus? — Pallas wird es wiederum verhüten, die Göttin nicht nur des Krieges, auch der Wissenschaft. Sie zeigte ja einst mit dem berührenden Goldstabe dem Telemach den Odysseus; da erglänzten dessen Kleider und der Sohn erkannte den Vater.

12

Gutes Deutschland, oft haben dich die Sittenlehrer und Länderkundigen das Herz Europas genannt! Du bist es auch; unermüdlicher schlagend als deine Hand, bewegst du dich wärmend fort, sogar im Schlafe und im Siechtum.

13

Die deutsche Seele besteht nicht, wie nach Thales die menschliche, aus Wasser, nicht, wie nach Demokritos diese, aus Feuer, sondern, wie nach Hippokrates, aus beiden. Diese Mischung von Feuer und Kälte — zu welcher ich noch die geographische von Süd- und Norddeutschland bringe — könnte uns sehr entwickeln und zu hohem Wuchse treiben.

14

Jeder glaubt und sagt, die Vergangenheit, das heißt die Geschichte, gebe die rechte Lehre der Zukunft; aber fehlt's denn dem Menschen an irgendeiner Vergangenheit, an eigner oder an fremder? Kommen wir nicht alle von gestern her? Jeder hatte Vergangenheit genug in sich, um eine reine Zukunft auszubilden; aber jede Zeit — welche von den dreien es auch sei — wird nur vom schöpferischen Sinn erfaßt; und es ist mithin einerlei für diesen, von Gegenwart zu lernen oder von Vergangenheit oder von Zukunft.

15

Für die Olympischen Spiele stellten alle griechischen Völkerschaften ihre Kriege ein und fanden sich froh und friedlich bei den schöneren Kämpfen der Musen und unblutiger Kräfte zusammen. So werde Deutschland, das jetzt Not, Raum, Thron, ja Schlachtfeld feindlich scheidet, wieder zum Völkerbunde verknüpft auf dem hohen Musenberge, wo die Erde sich unten verkleinert und nur die Sonnen der Dichtkunst und Weisheit oben heller erscheinen. Könnte deutsche Dicht- und Denkkunst nicht der lahme Schulmeister Tyrtäus sein, welchen die Athener den Spartern (als diese im messenischen Kriege einen Heerführer von ihnen begehrten) höhnend zuschickten? Ich meine darum, weil die Sparter durch den Poeten obsiegten.

16

Auch im Staatsgebäude geht kein Nagel, welcher befestigt, tief und bis zum Kopfe ein, als ein gerader.

17

Die Schamhaftigkeit der Völker geht wie die der Jungfrauen unter, so nämlich wie das Sinnkraut, die Sensitive, einwelkt, wenn man es zu oft berührt und zum Widerstande nötigt. — Das Geistige verflüchtigt sich am leichtesten, reines Gold wird am leichtesten verbogen.

18

Der Mensch wird schneller tierisch als ein Tier menschlich.

*Wie sticht gegen die langsame Verwandlung der Sklaven
in Freie die Schnelligkeit der umgekehrten ab!*

*Ehedem wurde immer jedes Jahrhundert mit Buß-, Bet-
und Fasttagen beschlossen. Statt der unterlassenen reli-
giösen verordnete uns das Schicksal politische.* (1799)

*Überall findet man, wie der Mensch die Großmutter des
Teufels zur Wehmutter irgendeines Engels zu machen sucht,
und dies ist, dünkt mich, schön.*

*Wenn wir durch echtdeutsche Erziehung und Literatur der
Nachwelt zwei unzerstörliche Denkmäler Deutschlands
nachlassen, so ist's genug: Bücher und Kinder.*

*Kein Land wird reich oder mächtig — vielmehr das Gegen-
teil — durch das, was es von außen hineinbekommt, sondern nur durch alles, was es aus sich selber gebiert und
emportreibt. Nur der gesunde dichte Baum trägt jährlich
seine Honigblüten und Honigfrüchte, aber der Baum, in
welchem Bienen ihren Honig aufhäufen, ist hohl und faul
und steht bald ohne Honigkelche da.*

*Jedes Umstürzen alter Verfassungen, sogar jedes Ausbes-
sern derselben, welches ja doch ein teilweises Stürzen ist,
dieses muß — es mag von einem philosophischen oder politischen Systeme die Rede sein — im Anfange immer
schlechtere als gute Folgen gebären. Das eingesessene Übel
und Gewürm wehrt sich und beißt noch grimmiger, wil-*

der, kopfloser als vorher in seinem ruhigen Bau; und die neue Ansiedlung übertreibt das Neue so gut, einführend, als jene das Alte, abwehrend. Erst wenn Altes und Neues sich in Alltägliches verwandelt haben, kommt die Saat des Guten in Blüte.

25

Ist das vaterländische Feuer erloschen und haben die Vestalinnen nicht genug gewacht, so holet es — wie der Römer seines — von Sonne wieder, vom himmlischen Musengott!

26

Tyrann, ins Tränen- und Blutmeer siehst du die Sonne einsinken, welche über die Erde herleuchtete! Aber du hoffst irrig. Auch die andere Sonne geht unter in Abendrot und Ozean; aber sie kommt am Morgen unerloschen wieder und bringt neuen Tag.

27

Glaubst du, es gebe keinen kleineren Freifelsen und Freistaat als San Marino in Welschland? — Es gibt einen Freistaat, der in einer Brust Raum hat — oder hast du kein Herz?

28

Der Donner zerreißt die deutsche Eiche — aber nicht ihren Samenstaub.

29

Zuweilen wurde mitten am Tage der Morgen- und Abendstern am Himmel gesehen, neben der Sonne, — wenn diese verfinstert war. Schönes Sinnbild! Wenn sich uns das Leben verfinstert durch zu große Schmerzen, so erscheint uns recht deutlich Jugend und Sterben, Morgenstern und Abendstern.

30

Ein gläubiger Dichter ist zuweilen ein besserer Prophet als ein herzloser Kenner aller Kabinette.

Vergeßt über die nähere Vergangenheit nicht die fernere Vergangenheit, so wenig als die vielgestaltige Zukunft. Wie am langen Tage in Schweden die Abendröte ohne eine abteilende Nacht in das Morgenrot verfließt, so schmilzt jetzt Fürchten und Hoffen ineinander, West-Abend und Ost-Morgen; folglich ist das Aufsteigen der Sonne nicht weit. Amen! (1809)

Der Held zeigt wohl seine Narben, aber nur der Bettler seine Wunden.

In der Tat: an Federn — sowohl in Kriegs- und Rechenkammern als Studierstuben — hat es uns bisher nie gemangelt, um damit zu fliegen; dazu aber hätten die Federn in Flügelknochen sitzen sollen.

Es ließe sich fragen, ob nicht zuweilen die G e s c h i c h t e einer Meinung, so wie gewöhnlich die Geschichte einer Stadt, ergiebiger ist als diese selber.

Der Gläubige einer Vorsehung ruht in den Weltstürmen ohnehin auf einem festen Troste; aber sogar der bloße Gläubige der Geschichte findet in dieser den Anker der Hoffnung, obgleich mit einem noch wenig bezeichneten Unterschiede. Es gibt nämlich einen zwischen einem verschlimmerten Zeitalter oder Volke und zwischen einem verunglückten, wiewohl bloß jenes ganz in dieses übergehen muß, nicht dieses in jenes; folglich kann man über das eine auf lange hinaus prophezeien, über das andre weniger. Das Schicksal hält nämlich fest einem unmoralischen Volke den Giftkelch zum Ausleeren vor und läßt dasselbe alle Verzuckungen des Vergiftens durchmachen, bis es am selberverfertigten und zurückgeschluckten Gifte, wie die Klapperschlange am eignen Bisse, verscheidet. Alles dies konnte man zum Beispiel dem römischen Reiche auf Jahrhunderte aus der Hand oder Faust lesen, welche die Adlerklaue oder Wolfstatze der alten Welt geworden. — Hingegen die Zukunft eines verunglückten Volkes hebt sich über menschliche Vorblicke hinaus und doch zu den Hoffnungen hinauf. Die Menschen glauben nämlich, aber irrig, daß ein gestürztes Volk nur von der Kette der Hilfs-möglichkeiten, die ihnen vor Augen liegen, wieder in die Höhe zu ziehen sei; wenn sie nun finden, daß für den Abgrund, worein es geworfen worden, alle Rettungslei-tern zu kurz sind, um es emporzubringen, so schließen sie daraus auf dessen Rettungslosigkeit, ohne sich aus der Ge-schichte zu erinnern, daß ein Höhlenabgrund der Völker — so wie einige physische Abgründe — außer dem Rück-ausgange nach oben auch einen unten nach der Ebene, ja nach der Tiefe hat, so daß ein unerwarteter Seitengang plötzlich ein freies Weltgrün und Himmelsblau auftut. — Wollet also nicht erraten, sondern vertrauen!

36

Man hat in mehr als einem Lande erlebt, daß schnelle, das heißt unvorbereitete Aufklärung ohne Dauer und Reife guter Früchte vorüberzog, und daß der einem zu starken Sonnenlichte ausgesetzte Leuchtstein sich zerbröckelte und nicht lange nachschimmerte im Dunkeln. — Aber warum befürchtet man eine längere Dauer der Wirksamkeit von schneller, unvorbereiteter Verfinsterung und tröstet sich nicht in kurzer Sonnenfinsternis mit Vertrauen auf den längern Tag? — Denn noch dazu sind die Fälle ganz un-gleich: Licht, sogar das plötzlichste, reizt den Menschen zum Licht, wie körperliches zum Niesen; aber auch plötz-liche Nacht reizt ihn zum Lichte; daher bleibe mitten in der Geschichte der Freund der Erde ohne Furcht! Alle plötzlichen Dämmerungen sind nur die der Sonnenfinsternisse, und also keine wachsenden, sondern ebenso plötzlich verschwindende.

37

Inzwischen wird auch d i e s e Zeit ihre Sonnenwende finden. Das Menschenherz verstäubt, aber nie sein Ziel. Wie nach den Naturkundigen ein ganzes Pflanzen- und Tierreich sich niederschlagen mußte als Blumenerde und Unterlage für das Menschenreich, so ist die Asche der schlimmern Zeiten das Düngesalz der bessern. — Jeder verbessere und revolutioniere nur vor allen Dingen statt der Zeit sein Ich; dann gibt sich alles, weil die Zeit aus Ichs besteht. Er arbeite und grabe still mit seiner Lampe an der Stirn in seinem dunkeln Bezirke und Schachte fort, unbekümmert um das Auf- und Abrauschen der Wasserwerke; und falls die Flammen, worein die Grubenlichter die Bergschwaden setzen, ihn ergriffen, so wäre doch für die künftigen Knappen die Luft gesäubert.   (1799)

38

Das Mittelalter hatte Reichtum an Religion genug, um ohne Kosten derselben mit ihr zu scherzen und zu spielen; unser Zeitalter ist ihr feindselig gesinnt; aber ein scherzender Feind lacht gefährlicher als ein scherzender Freund.
(1809)

39

Manche hoffen, das Kriegsungewitter treibe uns wieder zur Religion, wie ein Donnerschlag einst Luthern zur Theologie. Noch aber ist's unentschieden, ob das Kriegsfeuer bloß ein Fegfeuer, das zum Seligwerden, oder eine Hölle ist, die zum Schlimmerwerden führt. Um so weniger werde auch das kleinste Bausteinchen zu einer Kirche verworfen! So lasse man zum Beispiel viel nachsichtiger religiöse Klubs — unter dem Namen Konventikeln in vorigen Zeiten mehr mit rechten verboten — erstehen als politische.

Übrigens wird man doch nicht in Zeiten religiöse Rasereien fürchten, wo es nur noch irreligiöse gibt. (1809)

40

Mißlich ist allerdings die Zeit und hell-kalt für die Religion. In den Himmel der Religion wird Europa wahrscheinlich erst durch ein noch heftigeres Fegfeuer als das jetzige aufgetrieben und sublimiert; nur aus Brand und Asche wiedererstcht der Phönix. Indes kann an der Menschheit nichts untergehen — außer mit ihr selber — was als ihr Charakter ja der Herzschlag und Atem ihrer ganzen Geschichte war. Oft verdeckt der Erde sich der Himmel, aber gleichwohl läuft sie immer in ihm weiter. Auch die verfinsterte Sonne zieht und führt sowohl die verdunkelte Erde als den verdunkelnden Mond. (1809)

41

Gewächse, die nur Abendsonne haben, reifen nie so weit hinauf als die, welche schon vor der Morgensonne sich erwärmen. So vergleicht die Menschen, die ihr Herz erst in den Abendtagen des Alters gegen das Göttliche kehren, mit den andern, die schon in den Jugendtagen vor der Sonne der Religion zu reifen anfingen und endlich mit den zärtern, reifern Früchten dastehen.

42

In jedem Menschen wohnt eine heiße unendliche Sehnsucht nach einem höchsten Himmel, die er durch Erdenfreuden kühlen will, wie die indischen Weiber Schlangen zur Kühlung in den Busen legen. Aber unsere Schlangen stechen das Herz, und es stirbt ungekühlt am brennenden Durst. Nur die Schlange der Ewigkeit erfrischt die lechzende Brust.

(Die Verschlimmerungen der Völker.) Langsam und leise, wie der Rhein sein Eisgewölbe ungehört und Eissplitter an Splitter zusammenschmiedet, bildet sich in den Staaten das Böse und die Härte und Kälte des Volks. Aber wie der Rhein mit Donner und Wut seine lange Fläche in schwimmende Schlachtfelder zerschlägt, so steht und taut das verdorbene Volk plötzlich mit Sturm auf und zieht zerrissen in zerreißenden Haufen daher. Dann kommen Zeiten, wo die Sterne des ewigen Rechtes nicht mehr feststehen, so wie bei dem Schirokko-Winde die Gestirne des Himmels zu schwanken scheinen. Aber warte nur ab das Vorüberfliegen des Sturmes! Du wirst sehen: bloß der Mensch hat geschwankt, nicht der Himmel.

44

Unter den Menschen wird man nicht besser, wenn man nicht schon gut unter sie kommt.

45

Fern von Menschen wachsen Grundsätze, unter ihnen Handlungen.

46

Macht sich ein Mensch aus dem Menschen nicht viel, so bin ich stiller als einer dazu; nur mache er sich auch nicht mehr aus sich, und im Streitfalle seines und fremden Glückes sei er großmütig.

47

Der Mensch hat zwei Herzkammern: in der einen sein Ich, in der andern das fremde, die er aber lieber leer stehen lasse als falsch besetze. Der Egoist hat gleich Würmern und Insekten nur eine.

48

Im Reiche des Wissens kommt — anders als im physischen — der Schall immer früher an als das Licht.

(*Die Aussprache des Herzens.*) Einst trat der liebende Genius der gefühlreichern Menschen vor den Jupiter und bat: „Göttlicher Vater, gib deinen armen Menschen eine bessere Sprache; denn sie haben nur W o r t e , wenn sie sagen wollen wie sie trauern, wie sie frohlocken, wie sie lieben." — „Hab' ich ihnen denn nicht die Träne gegeben", sagte Jupiter, „die Träne der Freude und die Träne des Schmerzes und die süßere der Liebe?" — Der Genius antwortete: „Auch die Träne spricht das Herz nicht aus. Göttlicher Vater, gibt ihnen eine bessere Sprache, wenn sie sagen wollen, wie sie die unendliche Sehnsucht fühlen, wie ihnen das Morgensternchen der Kindheit nachblinkt, und die Rosenaurora der Jugend nachglüht, und wie vor ihnen im Alter das goldene Abendgewölk eines künftigen Lebenstages glühend und hoch über der verlornen Sonne schwebt. Gib ihnen eine neue Sprache für das Herz, mein Vater!" — Jetzo hörte Jupiter in dem Sphärenklange der Welten die Muse des Gesanges annahen, und er winkte ihr und sagte: „Zieh hinunter zu den Menschen und lehre sie d e i n e Sprache!" — Da kam die Muse des Gesanges zu uns hernieder und lehrte die Töne; und seitdem kann das Menschenherz sprechen.

50

Bei der Musik spricht kein anderer zu uns, sondern wir selbst; wir hören nur uns: unsre Zukunft, unsre Vergangenheit. Wir fühlen daher trotz ihres Zerfließens in der Zeit doch nicht deren Nichtigkeit, weil das sprechende oder tönende Herz besteht.

51

O Musik! Nachklang aus einer entlegnen harmonischen Welt! Seufzer des Engels in uns! Wenn das Wort sprachlos ist, und die Umarmung, und das Auge, und das weinende, und wenn unsre stummen Herzen hinter dem Brustgitter einsam liegen: o so bist nur du es, durch welche sie sich einander zurufen in ihren Kerkern und ihre entfernten Seufzer vereinigen in ihrer Wüste!

52

Wenn die Töne sprechen, können wir nicht unterscheiden, ob sie unsere Vergangenheit oder unsere Zukunft aussprechen; wir hören ferne Tage, weggegangne und herkommende, denn beide sind fern, und wir müssen zugleich uns erinnern und uns sehnen. Denn kein Ton hat Gegenwart und steht und ist; sein Stehen ist nur ein bloßes Umrinnen im Kreise, nur das Wogen einer Woge. — Rinnen nun in den Tönen Vergangenheit und Zukunft des Herzens zusammen und fehlt ihnen die Gegenwart, die beide scheidet: so sind sie ja das irdische Echo der Ewigkeit, und der Mensch hört an ihnen kein Außen, sondern nur sein Innen und ewiges Ich.

53

Wenn Bücher auch nicht gut oder schlecht machen, besser oder schlechter machen sie doch.

54

Goethe behauptet mit Recht, daß ein Buch wenig einen Menschen ändere; aber — setz ich dazu — wohl d i e Bücher, zumal d i e Menschen. Denn wer entbindet am Ende die flüchtigen Geisterwelten der Zeiten, als meistens die Bücherwelt (und umgekehrt), obgleich die Wirkung der Teile auf Teile, zumal bei dem Antagonismus aller untereinander, unsichtbar bleiben muß?

Es gibt Bücher, welche immer klarer werden, je älter sie werden, und vielleicht wird ein Genius nur nachts vor dem Jüngsten Tag am besten verstanden.

Gleich dem Jüngsten Tage verwandelt uns die Poesie, indem sie uns verklärt, ohne uns zu verändern.

Es ist den Menschen leichter und geläufiger, zu schmeicheln als zu loben.

Habt Mitleiden mit der Armut, aber noch hundertmal mehr mit der Verarmung! Nur jene, nicht diese macht Völker und Inidividuen besser.

Wie Geruch zum Geschmack, so verhält sich Erinnerung zur Gegenwart.

Wenn zwei Menschen im schnellen Umwenden mit den Köpfen zusammenstoßen, so entschuldigt sich jeder voll Angst und denkt, nur der andre habe den Schmerz und nur er selber die Schuld. (Nur ich exküsiere mich ganz unbefangen, eben weil ich aus meinen Betrachtungen weiß, wie der andre denkt.) Wollte Gott, wir kehrten's bei moralischen Stößen nicht um!

Jede Wissenschaft, jeder Stand, jedes Alter, jedes Jahrhundert machen einseitig und verrücken das Altarblatt des Universums zu einem Vexierbild. Also lerne und versuche und erlebe, so gut du kannst, alles, wenigstens allerlei! — Beschütze gegen die Despotie jedes philosophischen Systems deine höhere poetische Freiheit durch das Studium aller Systeme und unähnlicher Wissenschaften. Lerne philosophisches Maß an den Alten und am britischen Koloß Bacon, der — wie der rhodische — mit seiner Leuchte den Schiffen, die unter seinem Leib durchstreichen, lange nachleuchtet. Lerne sokratische Freiheit und Form an Plato, Wieland, Lessing und Bayle. Lerne Stoff aus Hemsterhuis, Jacobi, Leibniz und Bacon. Und gehe besonders nie unter Philosophen, ohne eine Kronwache von Physikern, Geschichtsschreibern und Dichtern um dich zu haben! Zumal von letztern. Alle Wissenschaften und Zustände nehmen auf ihrem höchsten Tabor die poetische Verklärung an, wie alle Götter (nach Makrobius) nur Verkleidungen des Apollo sind. Die Dichter hängen den Kopf wieder mit dem Herzen zusammen, und ohne sie wird deine Philosophie, die mehr die Freuden als Leiden wegzudisputieren versteht, bloß zu einem hellen Mittag, wo kein Regenbogen möglich ist und doch die schwersten Gewitter. — Vorzüglich: handle! O, in Taten liegen mehr hohe Wahrheiten als in Büchern! Taten nähren den ganzen Menschen von innen, Bücher und Meinungen sind nur ein warmer nahrhafter Umschlag um den Magen. Statt daß die jetzigen matten liebelosen Philosophen — gleichsam zerbröckelnde, von der Sonne ausgekalkte Lichtmagnete — nichts m e h r lieben als ein Auditorium und, gleich den Kindern im Scharlachfieber, nur heiße Stirnen, aber kalte Hände (zum Handeln) haben, wird dann bei dir der Baum der Erkenntnis, mit dem Baum des Lebens ablaktiert [= durch Aneinanderschnüren veredelt], herrlich treiben und tragen. Und dann wird dir ein Gott den Glauben zeigen, dessen Wurzeln mit dir geboren wurden und den die Winde des Lebens nicht umreißen und unter dessen Zweigen du Schatten und Düfte und Früchte findest.

Wenn Liebe das Höchste ist, was kann sie weiter suchen als selber das Höchste? Und ein Herz ist nur von einem Herzen zu fassen, dieser schönsten Fassung des schönsten Juwels. Nur das Verwirren und Verstricken ins Gesträuch und Nest des Ich kann uns so verdunkeln, daß wir die hohe reine Liebe für fremdes Ich weniger achten als eine für unseres.

63

Das Alter ist nicht trübe, weil darin unsere Freuden, sondern weil unsere Hoffnungen aufhören.

64

Nur im Leiden sitzt man über seine Fehler zu Gerichte, wie man nur im Finstern Bläschen in großen Spiegeln untersucht und findet.

65

Der Scherz ist unerschöpflich, nicht der Ernst.

66

Man glaubt seine Fehler dadurch wieder gut zu machen, daß man sie sogleich hinterher bereuet. Warum setzet man denn nicht voraus, daß der andere seine auch bereue und daß er sie auch damit entsündige?

67

Dem sentimentalen Heuchler lasse nicht lange Reden zu, weil er sich durch diese erweichen will. Manche können nur weinen, wenn sie reden.

68

Keine Versprechungen werden schwerer und später gehalten als die, bei welchen die Zeit der Erfüllung nicht bestimmt ist. Daher geben viele oft dem Freunde das geborgte Geld nicht zurück.

Die Menschen verraten ihre Absichten nie leichter und stärker, als wenn sie sie verfehlen.

Verschwiegenheit wird darum so schwer, weil sie oft gar keine Grenzen der Dauer kennt. Eine fünfzig Jahre lang dauernde gute Handlung wird dem Menschen gar zu sauer.

Ich finde die Menschen immer menschlich und gut. Und wenn man sich nur die Mühe nicht verdrießen läßt, von ihnen, wie von der nux vomica [= Brechnuß], einige giftige Häute oder doch die klein- oder großstädtischen oder standesmäßigen Hülsen abzuschälen, so hast du einen Kern vor dir, der sich essen läßt. — Der Hauptfehler des Menschen ist, daß er so viele kleine hat, und der Nebenfehler ist, daß wir das ganze Jahr die Wahrheit, wie sehr jeder endlichen Person durchaus einige Mängel zuzutrauen und nachzusehen wären, uns und andern vorpredigen und gleichwohl bei jeder einzelnen nichts weniger erwarten als einen Defekt, sondern ganz außer uns darüber kommen vor Staunen und Grimm, besonders gerade über den g e g e n w ä r t i g e n Defekt — denn jeden andern, sagen wir, hätten wir ja von Herzen gerne vergeben.

Der eine sucht nur Mängel des Nächsten auf, der andere nur dessen Tugenden. Jener schüttelt den Baum bloß, um Maikäfer aufzulesen, der andere, um dessen Früchte zu ernten. Verknüpft aber beides: reinigt von Käfern und erntet die Früchte!

Was uns an jedem Grabhügel quält, das ist der Gedanke: „Ach, wie wollt ich dich gutes Herz geliebet haben, hätt ich dein Versinken voraus gewußt!" Aber da keiner von uns die Hand eines Leichnams fassen und sagen kann: „Du Blasser, ich habe dir doch dein fliegendes Leben versüßet, ich habe doch deinem zusammengefallenen Herzen nichts gegeben als lauter Liebe, lauter Freude" — da wir alle, wenn endlich die Zeit, die Trauer, der Lebenswinter ohne Liebe unser Herz verschönert haben, mit unnützen Seufzern desselben an die umgeworfenen Gestalten, die unter dem Erdfall des Grabes liegen, treten und sagen müssen: „O daß ich nun, da ich besser bin und sanfter, euch nicht mehr habe und nicht mehr lieben kann; o daß schon die gute Brust durchsichtig und eingebrochen ist und kein Herz mehr hat, die ich jetzt schöner lieben und mehr erfreuen würde als früher!" — was bleibt uns noch übrig als ein vergeblicher Schmerz, als eine stumme Reue und unaufhörliche bittere Tränen? — Nein! Etwas Besseres bleibt uns übrig: eine wärmere, treuere, schönere Liebe gegen jede Seele, die wir noch nicht verloren haben.

74

Aber ein Halt steht im Weltenmeer: der Gedanke, daß wir den Gott in uns tragen, der selber wieder das Sonnen-All in sich trägt, und daß in diesem Ur- und Übergeiste, der zugleich Allgegenwart der Zeiten und der Räume ist, sich alle Weltengrößen, Weltenfernen und Ichs-Unzahlen selig sammeln, nähern und durchdringen müssen.

75

Nur die Guten verschwinden, nicht das Gute, nur die Zeiten, nicht die Zeit, die aus ihnen alles reifer gewachsen wiederbringt.

76

Jeder gestorbene Freund ist für uns ein ziehender Magnet in einer andern Welt, und der Greis wohnt unter Toten.

Gegen die Erde gibt es keinen Trost als den Sternenhimmel.

Gewisse Wilde verehren den guten Gott, damit er ihnen nütze, und den Teufel, damit er ihnen nicht schade; wir Christen kehren es um und gehorchen dem guten Gott, um von ihm nicht gestraft zu werden, und dem Teufel, um Nutzen von ihm zu ziehen.

Unsere Begierde verschluckt, wie der Armpolype, mit der Beute zugleich die eignen Arme, die diese ergriffen.

(Die Blüten und das Laub.) Als die Blüten schon im Mai abfielen, nur blaß gefärbt und dünn und klein geblieben, sagten die Laubblätter: „Diese Schwachen und Unnützen! Kaum geboren, sinken sie schon! Und wir, wie stehen wir fester und überdauern die Sommerglut, immer breiter, glänzender und fetter wachsend, bis wir endlich nach langen Verdienstmonaten, wenn wir der Erde die schönsten Früchte erzogen und gegeben, mit bunten Ordensfarben und unter dem Kanonendonner des Sturms zur Ruhe gehen." Aber die abgefallenen Blüten sagten: „Wir sind gern gesunken; hatten wir doch vorher die Früchte geboren."

Ihr stillen unbemerkten oder bald verschwundenen Menschen in den gemeinen Wohnstuben, in den Schreibzimmern, ihr wenig geachteten in den Schulstuben, ihr edeln Wohltäter ohne Namen in der Geschichte und ihr ungekannten Mütter, verzagt nicht vor den Prangenden auf Staatshöhen, auf Goldbergen, auf Triumphbogen untergeackerter Schlachtfelder, verzagt nicht — i h r seid die Blüten!

Die Erde ist das Sackgäßchen in der großen Stadt Gottes
— die „dunkle Kammer" [camera obscura] voll umge-
kehrter und zusammengezogener Bilder aus einer schöneren
Welt — die Küste zur Schöpfung Gottes — ein dunstvol-
ler Hof um eine bessere Sonne — der Zähler zu einem
noch unsichtbaren Nenner — wahrhaftig, sie ist fast gar
nichts.

Das Schicksal geht mit Völkern wie Heliogabalus mit
seinen Köchen um: brachte einer ihm eine schlecht erfun-
dene Brühe, so nötigte er ihn, solange davon zu leben, bis
er auf eine bessere gefallen war.

Wer keine Achtung für das Publikum zu haben vorgibt
oder wagt, muß unter demselben das g a n z e lesende
verstehen; aber wer für s e i n e s, von welchem er ja sel-
ber bald einen lesenden, bald einen schreibenden Teil
ausmacht, nicht die größte durch die jedesmalige höchste
Anstrengung, deren er fähig ist, beweist, begeht Sünde
gegen den heiligen Geist der Kunst und Wissenschaft,
vielleicht aus Trägheit oder Selbstgefälligkeit oder aus
fruchtloser Rache an siegreichen Tadlern. Dem e i g e n e n
Publikum trotzen heißt dann einem s c h l e c h t e r e n
schmeicheln, und der Autor tritt von seiner Geistesbrü-
dergemeinde über zu einer Stiefbrüdergemeinde. Und hat
er nicht auch in der Nachwelt ein Publikum zu achten,
dessen Beleidigung durch keinen Groll über ein gegenwär-
tiges zu rechtfertigen ist?

Ein Autor, der den Leser nicht einschlafen läßt, gleicht
nur gar zu sehr einem römischen Tyrannen, der die Misse-
täter durch die Versagung des Schlafes quälte und tötete,

und es macht der Empfindsamkeit unserer meisten Autoren wahre Ehre, daß sie hierin mitleidiger denken.

Die Autoren sind mir lieber als die Huren. Diese geben
ihre Schwangerschaft für die Wassersucht aus; jene aber
kehren es um und behaupten, daß sie ein wohlgebildetes
Büchlein im Kopfe tragen, ungeachtet in der Tat nichts da
ist als ein wenig viel Wasser.

Die Reformatoren vergessen immer, daß man, um den
Stundenzeiger zu rücken, bloß den Minutenzeiger zu dre-
hen brauche, oft den Tertienzeiger.

Manche können nur fremde Meinungen, nicht ihre eigenen berichtigen.

Ein Tyrann fällt den Geist früher als den Körper an;
ich meine: er sucht seine Sklaven vorher dumm zu machen,
eh er sie elend macht, weil er weiß, daß Leute, die einen
Kopf haben, ihre Hände damit regieren und sie gegen den
Tyrannen aufheben. Der Henker ahmt ihn nach und
verbindet dem Missetäter die Augen, bevor er ihn foltert.

Die wechselseitige Unüberwindlichkeit zweier Philosophen, die sich miteinander auf dem Druckpapiere schlagen
(zum Beispiel eines Leibniz und eines Clarke) ist, darf ich
wohl zu ihrer Ehre voraussetzen, etwas so Ausgemachtes
und Alltägliches, daß man die Literatoren auffordern
kann, uns einen auch nur schwachen vorzuführen, der je
vor dem Stärkeren sein System hätte fahren lassen. Nie
erhört! — Vielmehr, wenn dieser den andern an seiner
eignen eingeräumten Schlußkette recht gefangen zu haben

glaubte, so hielt er ihn daran etwa nur ebenso fest, wie ein Knabe eine Spinne, die er gefangen, an ihrem eignen Faden wegzutragen gedenkt, den sie aber sogleich länger und herabwärts spinnt und mit welchem sie davonläuft.

Und eine ähnliche philosophische Unerschütterlichkeit in Behauptungen schreib ich auch den Weibern zu. Eine Frau behaupte gegen ihren Mann, was sie will, und beweis es, wie sie will: der Mann ist durchaus nicht imstande sie zu widerlegen und zu besiegen. Denn wenn er sie an Schlußketten und Redefäden festzuhalten glaubt, so ist's soviel, als wenn er einen Zwirnknäul, der auf der Erde liegt, an dessen Faden in die Höhe zu ziehen suchte; er wird immer mehr Fäden in die Hand bekommen, und der ganze Knäul wird sich darein verwandeln, aber auf dem Boden bleibt doch der Zwirnstern.

90

Wer nicht zuweilen zu tief und zu viel empfindet, der empfindet gewiß immer zu wenig.

91

Vor den Sternen besteht auf der Erde nichts Großes, in der Brust nichts Kleines.

92

Die Erde erscheint im Zimmer klein und unsichtbar; aber ein Menschenherz erscheint im Zimmer groß, so auch sein Schmerz.

93

Wie kann der Mensch klein sein oder sich klein achten, ein Wesen, das die Größen seines Innern sieht und mißt!

94

(Trost gegen die ewige Flucht der Zeit.) Du kannst keine Sekundenuhr lange aushalten und klagst: „Die Zeit ist

ein stetes Vorübertropfen von Augenblicken, die hintereinander fallen und verrauchen; oben hängt unverändert
die Zukunft und unten wächst ewig die Vergangenheit
und wird immer größer, je weiter sie rückwärts flieht, —
was bleibt bei mir?" — „Die Gegenwart", antwort' ich.
„Wie auch die Zeit vor dir vorüberfliege, die Gegenwart
ist deine Ewigkeit und verläßt dich nie."

95

Tausend Sonnen schießen in Augenblicken über das Feld
des Sternrohrs und neue tausend fliegen nach. Der Allgeist ruht und schauet, und die Sonne und das All eilen
vorüber; aber ihr wetterleuchtender Flug ist ihm ein un-
beweglicher Glanz und vor ihm steht das verfliegende
All fest.

96

Ob ihr gleich unter allen Größen gerade den Sternenhimmel durch das stärkste Verkleinerungsglas erblickt, so
faßt ihr doch seine Unendlichkeit nicht, und die Unendlichkeit der Zeit hinter euch ebensowenig als die vor euch,
noch den Pol-Tag der Ewigkeit, wo die Sonne immer an
dem selben Punkte aufgeht und untergeht, und nicht die
unendliche Tiefe des Lebens, das zugleich Seelen verkör-
pert und Körper beseelt, — und dennoch wollt ihr den
Allgeist, in welchem diese Unendlichkeiten wohnen und
verschwinden, auf euern Lehrstühlen und Kanzeln begreifen und fassen? Nehmt nur erst das Maß vom All, eh ihr
die Gottheit umklaftert!

97

Himmel, wieviele menschliche Gefühle wurden von jeher
den Altären geschlachtet!

98

Alles Schöne ist sanft; daher sind die schönsten Völker die
ruhigsten, daher verzerret heftige Arbeit arme Kinder und
arme Völker.

*An die Feinde der Freiheit: Zerschlagt nur jeden Bund
ihrer Freunde und zerstückt jedes Buch sogar mit dem,
der es hinstellte, um darin die Geistersonne, die Freiheit,
im Aufgange zu zeigen! Nun glänzt die Sonne nicht mehr
aus e i n e m Spiegel, sondern neu aus jeder Scherbe des
zertrümmerten. — Die ruhige Meeresebene mit e i n e r
Sonne im Busen lodert, aufgetürmt, mit verworrnen zahllosen Sonnen auf den zahllosen Wogen.*

100

*Sprichst du durch Worte deine Gefühle, durch Predigen
deine Frömmigkeit, durch Dichtkunst dein Lieben und
Sehnen aus: du hast dadurch sie alle verkleinert, und das
Herz hat sich an sich selber befriedigt. — Sprichst du deine
Gefühle durch Taten aus, so fordert das Herz neue und
größere, und alles Tun kann nur stärken und spornen,
nicht stillen.*

DER WEIBLICHE CHARAKTER
in hundert Spiegelscherben

1

Nach bekannten Grundsätzen ist die männliche Natur mehr episch und Reflexion, die weibliche mehr lyrisch und Empfindung.

2

Campe bemerkte richtig, daß die Franzosen alle Mängel und Vorzüge der Kinder haben; ich habe an andern Orten ferner die große Ähnlichkeit zwischen Franzosen und Weibern dargetan. Aus beiden Behauptungen würde die dritte von der Ähnlichkeit zwischen W e i b e r n und K i n d e r n folgen, wenigstens von der schmeichelhaften. Dieselbe unzersplitterte Einheit der Natur — dasselbe volle Anschauen und Auffassen der Gegenwart — dieselbe Schnelligkeit des Witzes — der scharfe Beobachtungsgeist — die Heftigkeit und Ruhe — die Reizbarkeit und Beweglichkeit — das gutmütige schnelle Übergehen vom Innern zum Äußern und umgekehrt: von Göttern zu Bändern, von Sonnenstäubchen zu Sonnensystemen — die Vorliebe für Gestalten und Farben und die Erregbarkeit setzen die körperliche Nähe beider Wesen mit einer geistigen fort. Gleichsam zum Gleichnis werden daher die Kinder anfangs weiblich gekleidet.

*Ein Mann hat zwei Ich, eine Frau nur eines und bedarf
des fremden, um ihres zu sehen. Aus diesem weiblichen
Mangel an Selbstgesprächen und an Selbstverdopplung
erklären sich die meisten Nach- und Vorteile der weiblichen Natur. Daher können sie, da ihr nahes Echo leicht
Resonanz [Schallverstärkung] wird und mit dem Urschall
verschmilzt, weder poetisch noch philosophisch sich zersetzen und sich selber setzen; sie sind mehr Poesie und
Philosophie als Poeten und Philosophen.*

4

*Frauen zeigen mehr Geschmack, wenn sie eine andere, als
wenn sie s i c h anzukleiden haben, aber eben weil es
ihnen mit ihrem Körper geht wie mit ihrem Herzen: im
fremden lesen sie besser als im eignen.*

5

*Eben weil keine Kraft in ihnen vorherrscht und über-
haupt ihre Kräfte mehr aufnehmende als bildende sind,
weil sie — treue Spiegel der veränderlichen Gegenwart —
jede äußere Veränderung mit einer innern begleiten, eben
darum erscheinen sie uns so rätselhaft.*

6

*Ihre Seelen erraten, heißt ihre Körper und ihre äußern
Verhältnisse erraten; daher der Weltmann sie so liebt und
so nennt wie jene langen dünnen Weingläser, die man „Im-
possibles“ heißt, weil man sie nicht austrinkt, so hoch man
sie auch aufhebt.*

7

*Gleich dem Pianoforte möchte man sie Pianissimo-For-
tissimi nennen, so unverfälscht und stark geben sie die
Extreme des Zufalls wieder, indes eben darum ihr natür-
licher Zustand der ruhende sein muß, der gleichwiegende,*

ähnlich der Vesta, deren heiliges Feuer nur Weiber be-
wachten, welches überall in Stadt, Tempel und Zimmer
nach dem Gesetz den m i t t l e r n Platz einnahm.

8

Den Mann treibt Leidenschaft, die Frau Leidenschaften;
jenen ein Strom, diese die Winde. Jener erklärt irgendeine Kraft für monarchisch und läßt sich regieren von
ihr, diese, mehr demokratisch, läßt umgehend befehlen.

9

Der Mann ist öfter ernst, das Weib meist nur selig oder
verdammt, lustig oder traurig, — was dem vorigen Lobe
der abgewognen ruhenden Verfassung nicht widerspricht;
denn bei der einen Frau bleibt den ganzen Tag Lustigkeit
feststehend, bei der andern Trübsinn; erst die Leidenschaft
stürzt beide.

10

L i e b e ist der Lebensgeist ihres Geistes, ihr Geist der
Gesetze, die Springfeder ihrer Nerven. Wie sehr sie lieben
ohne Gründe und Erwiderung, das würde man, wenn man
es nicht an ihrer Kinderliebe sähe, aus ihrem Hassen merken, das ebenso stark und ohne Gründe fortfrißt wie jene
fortnährt. Gleich den Südseeinsulanern, die so sanft und
kindlich sind und doch den Feind lebendig fressen, haben
diese zarten Seelen wenigstens zu Feindinnen einen ähnlichen Appetit.

11

Oft spannen sie einem Donnerwagen Tauben vor. Die
etwas zänkische Juno begehrte und bekam vom Alter-
tum die sanften Lämmer zum Lieblingsopfer.

12

Die Weiber lieben — und unendlich und recht. Die feurigsten Mystiker waren Weiber; noch kein Mann, aber

eine Nonne starb aus sehnsüchtiger Liebe gegen Jesus. Mit diesem Brautschatz der Liebe schickte die Natur die Frauen ins Leben, nicht etwa — wie Männer oft glauben — damit sie selber von jenen so recht durch und durch, von der Sohle bis zur Glatze liebgehabt würden, sondern darum, damit sie — was ihre Bestimmung ist — Mütter wären und die Kinder, denen Opfer nur zu bringen, nicht abzugewinnen sind, lieben könnten.

13

Die Frau verliert — ihrer ungeteilten, anschauenden Natur zufolge — sich, und was sie hat von Herz und Glück, in den Gegenstand hinein, den sie liebt. Für sie gibt's nur Gegenwart, und diese Gegenwart ist nur wieder eine bestimmte, ein und e i n Mensch. Wie Swift nicht die Menschheit, sondern nur Einzelwesen daraus liebte, so sind sie auch mit dem wärmsten Herzen keine Weltbürgerinnen, kaum Stadt- und Dorfbürgerinnen, sondern die Hausbürgerinnen. Keine Frau kann zu gleicher Zeit ihr Kind und die vier Weltteile lieben; aber der Mann kann es. Er liebt den Begriff, das Weib die Erscheinung, das Einzige, wie Gott (wenn diese kühne Vergleichung nicht zu kühn ist) nur eine einzige Geliebte kennt: seine Welt.

14

Die Männer lieben mehr S a c h e n , zum Beispiel Wahrheiten, Güter, Länder; die Weiber mehr P e r s o n e n. Jene machen sogar leicht Personen zu dem, was sie lieben; so wie, was Wissenschaft für einen Mann ist, wieder leicht für eine Frau ein Mann wird, der Wissenschaft hat. Schon als Kind liebt die Frau einen Vexiermenschen, die Puppe, und arbeitet f ü r diese; der Knabe hält sich ein Steckenpferd und eine Bleimiliz und arbeitet m i t dieser. Aus jenem entspringt vielleicht, daß, Mädchen und Knaben zugleich in die Schule gesandt, jene — obwohl diesen vor-

reifend — dennoch länger mit ihren Spiel-Puppen spielen
als diese mit ihren Spiel-Sachen. (Wenn indes sogar erwachsene einfache Frauen einer von einem Kinde vorbei-
getragnen Galapuppe von Stand inbrünstig nachschauen,
so mag hier weniger die Personen- als die Kleiderliebe
vorwalten.) — Ferner: die Mädchen grüßen öfter als die
Knaben; sie sehen mehr den Personen nach, diese etwa
dem Gaul. Jene fragen nach Erscheinungen, diese nach
Gründen. Jene nach Kindern, diese nach Tieren.

15

Je verdorbner ein Zeitalter, desto mehr Verachtung der
Frauen. Je mehr Sklaverei der Regierungsform oder -Un-
form, desto mehr werden jene zu Mägden der Knechte.
Im alten freien Deutschland galten Weiber für heilig und
gaben Orakel. In Sparta und England und in der schönen
Ritterzeit trug das Weib den Ordensstern der männlichen
Hochachtung. Da nun die Frauen stets mit den Regie-
rungsformen steigen und fallen, sich veredeln und sich
verschlimmern, diese aber stets von den Männern geschaffen und erhalten werden, so ist ja offenbar, daß die
Weiber sich den Männern nach- und zubilden, daß erst
Verführer die Verführerinnen erschaffen und daß jede
weibliche Verschlimmerung nur der Nachwinter einer
männlichen ist. Stellt sittliche Helden ins Feld, so ziehen
Heldinnen als Bräute nach; nur umgekehrt gilt's nicht,
und eine Heldin kann durch Liebe keinen Helden bilden,
obwohl gebären.

16

Folglich klagt die jetzige Zeit in der weiblichen Sinnlichkeit nur die männliche an. Indes lassen die Teufelsadvo-
katen wider die Weiblichkeit und die Heiligsprecher für
dieselbe sich ausgleichen, aber zum Vorteile der Weiber.
Es gibt allerdings verschiedne Scherzvögel, welche ohne
andern bedeutenden Aufwand von Blick und Welt und

Geist und Herz jedes Weib in nichts als einen fünften oder sechsten Sinn und alle Wünsche plump in einen einzigen verwandelt haben. Diese Weiberdenunzianten haben allerdings zur Hälfte recht, aber auch zur Hälfte unrecht. Jenes, wenn sie von physiologischer Sinnlichkeit, dieses, wenn sie von moralischer sprechen. An jener (aber ohne Beitritt des Herzens ganz unschuldigen) ist niemand schuld als Gott der Vater, und ebensogut könnte man ihnen die größere Schönheit des Busens als moralische Last und Ausschweifung aufbürden. Wenn aber der Himmel sie hauptsächlich für Kinder geschaffen, so ist ja offenbar die physiologische Sinnlichkeit vom All- und Vorvater der Kinder zum besten der nachkeimenden Nachwelt angeordnet. Die erste Erde, die der Mensch bewohnt — und neun Monate lang —, ist eine organisierte; kann diese aber für die erste und ursprüngliche Bildung zu üppig und kräftig sein? Kann Mangel an Reiz und Leben je etwas bilden, ein organisches Geschöpf voll Reiz und Leben? Und welche Sekunde ist die wichtigste im ganzen Leben? Gewiß nicht die letzte, wie Theologen sagten, sondern wahrscheinlich die erste, wie Ärzte bewiesen.

17

Dagegen ist den Sinnen des Weibes ein reineres Herz als das männliche ist, das mit jenen Gemeinschaft macht, zum Gegengewichte beschieden, und die Anklage des Körpers schließt hier eine Lobrede des Geistes in sich ein. Aber diese guten Wesen verteidigen sich selber nicht, außer durch Anwälte. Ja bei ihrer Glaubensfertigkeit kann ihnen das mißtrauende Geschwätz zuletzt die Zuversicht auf ihr Inneres entwenden. So kommen jetzo manche um ihre Religion oder doch Religionsmeinungen, ohne zu wissen wie, bloß weil sie teils den Gesprächen darüber zu hören, teils wenige mehr hören.

*Die Natur hat das Weib unmittelbar zur Mutter be-
stimmt, zur Gattin bloß mittelbar. So ist der Mann umgekehrt mehr zum Gatten als zum Vater gemacht. Es wäre
auch etwas sonderbar, wenn sich das stärkere Geschlecht
auf das schwächere lehnen und die Blume den Blumenstab
und der Efeu den Baum unterstützen müßte; wiewohl
solches, eben als das stärkere, wirklich etwas Ähnliches
erzwingt und die Frau zu seiner Waffen- und Geschäfts-
trägerin, Marketenderin und Proviantbäckerin macht
und der Ehemann das Eheweib als sein Wirtschaftsge-
bäude und Beiwerk ansieht. Er ist weit mehr für sie, als
sie für ihn geschaffen; sie ist's für die k ö r p e r l i c h e
Nachwelt wie er für die g e i s t i g e. Schiffsbesatzungen
und Heere beweisen die weibliche Entbehrlichkeit; hingegen Weiberschaften, zum Beispiel Klöster, bestehen
nicht ohne einen männlichen Bewindheber als Primum
mobile [=Triebfeder des Alls].*

19

*Die Natur, welche liebend-grausam zu ihren Weltzwek-
ken hindringt, hat die Weiber — die Mündelkollegien
und Zeughäuser der Nachwelt — dafür geistig und physisch, raubend und gebend ausgerüstet, von den Reizen
und Schwächen ihres Körpers an bis zu den geistigen. Daher deren Sorge und Achtung für ihren Körper — mit
welchem ihre Seele mehr e i n Stück ausmacht als unsere —, daher ihre Furcht vor Wunden, weil diese ein
doppeltes Leben treffen, und ihre Gleichgültigkeit gegen
Krankheiten, deren einige die Schwangerschaft sogar unterbricht, — so wie der Mann weniger Wunden als Krankheiten scheut, weil jene mehr den Körper, diese mehr den
Geist aufhalten. — Damit steht ihre Nüchternheit, ihre
Liebe für Reinlichkeit, sogar die Schamhaftigkeit und ihre
Neigung für Häuslichkeit und Ruhe in Bund.*

Die Mädchenseelen sind schneller ausgebildet als die Knabengeister, bloß weil die Natur der fünfzehnjährigen Reife des Körpers, folglich der Mutter, auch eine geistige geben will.

Hat endlich die üppige Blume einen zweiten Frühling stäubend ausgesäet, so bricht ihr die Natur hart alle Farbenreize ab und überläßt sie dem geistigern Reiche und Herbst. Hingegen dem Manne bewahrt sie den Körper, der auf der längern Taten- und Ideenbahn mit zu dienen hat, rüstig in tiefe Jahre hinein und weit über die der weiblichen Blüte hinaus.

Hierher gehört noch die Bemerkung aus dem Tierreich, daß die Männchen den höchsten Mut und Kraftdrang in der Liebeszeit, die Weibchen hingegen nach der Geburtszeit beweisen.

Man könnte die bisherige Behauptung in die kleinern Züge ausmalen, zum Beispiel den weiblichen Geiz, der nicht selbstisch sondern für Kinder spart; die Liebe für Kleinigkeiten, die Sprechseligkeit, die sanfte Stimme und vieles, was wir tadeln.

Wir kehren zur vorigen Anklage der Weiber zurück. Aber warum sprechen die Männer dieses Wort so oft aus über Wesen, denen sie den e r s t e n Dank des Lebens schuldig sind, und die von der Natur selber geopfert werden, damit Leben nach Leben erscheine? Warum werden die Fruchtspeicher der Menschheit, die Nachschöpferinnen Gottes, nicht höher gehalten und bekommen den Ährenkranz nur zu tragen, weil er stachlicht ist? — Gäb es nur e i n e n Vater auf der Erde, wir beteten ihn an; gäb es aber nur e i n e Mutter, wir würden sie verehren und lieben und auch anbeten.

*Das Höchste und Schönste, womit die Natur das Weib
ausstatten konnte und mußte für die Vorteile einer Nachwelt, war die Liebe, aber die stärkste, eine ohne Erwiderung, eine des Unähnlichen. Das Kind empfängt Liebe
und Küsse und Nächte, aber es antwortet anfangs zurück-
stoßend, und das schwache, das am meisten fordert, bezahlt am wenigsten. Aber die Mutter gibt fort; ja ihre
Liebe wird nur größer mit fremder Not und Undankbar-
keit, und sie hegt die größere für das gebrechlichste Kind,
wie der Vater für das stärkste.*

„Aber", könnte man der vorigen Ansicht der weiblichen
Bestimmung entgegensetzen, „das Weib sucht und ehrt
überall jede geistige und leibliche Vorkraft. Es liebt sein
eignes Geschlecht wenig und richtet dessen Schwächen
härter als die Roheiten des männlichen. So zornig auch
ein Herr gegen seinen Bedienten werde, so wird's doch
eine Herrin gegen ihre Sklavin in den Kolonien oder in
Deutschland noch mehr. Eine Frau erwählt, wenn der
Kartenkünstler sie eine Karte im Sinne zu behalten bittet,
stets den König oder den Wenzel oder den Buben, kurz:
keine Königin, und Schauspielerinnen spielen auf der
Bühne nichts lieber als verkleidete Jünglinge. Man braucht
aber nicht lange in Paris oder in der Welt, ja nur auf
der Welt gewesen zu sein, um zu erraten, was die Weiber
damit wollen." — Nichts Böses, sondern einen Schutz-
herrn ihrer Kinder! Mit Achtung für den Mann hat (wie
Herder schön auseinanderlegt) die Natur das weibliche
Herz begabt; aber aus dieser Achtung erblüht zwar anfangs die Liebe für den Mann, allein diese geht nachher
in Liebe für die Kinder über. Wenn sogar die Männer
weit mehr mit Phantasie und nach Begriffen als mit den
Herzen liebend den Bühnenweibern nachjagen, weil sie

diese oft hohe romantische Rollen von Königinnen, Göttinnen, Heldinnen, sogar T u g e n d heldinnen haben s p i e l e n sehen, wie sollten sich die Frauen nicht aus Achtung verlieben, da sie uns die größten Rollen nicht etwa wie eine Schauspielerin die Lukretia und Desdemona und Iphigenia zum kurzen Abendscherze — sondern mit Jahresernste auf dem Welt- und Staatstheater machen sehen, den einen den Helden, den andern den Präsidenten, den dritten den Fürsten, den vierten den Weltlehrer, nämlich den Schriftsteller! — Die Kinder fordern der Mutter dann diese Liebe für den Vater als Erbschaft oder geliehene Schuld wieder ab, und ihr bleiben nur die Zinsen, bis erst im höhern Alter, wenn die Kinder selber Eltern geworden, eine Greisin als Silberbraut ordentlich wieder in eine Art Liebschaft für den alten Silberbräutigam hineingerät.

26

In einer kinderlosen Ehe sieht eine Frau ihren Mann für ihren einzigen und erstgebornen Sohn von Gaben an, der ihr wahre Ehre macht und sie zeitlebens ernährt, und sie liebt den jungen Menschen unglaublich.

27

Hegt nun die Jungfrau die in die Knospe der Achtung gepreßte Liebe, so wird sie ja für den Geliebten kaum weniger tun als alles oder als eine Mutter für ihr Kind. Sie vergißt sich mit ihm, weil sie nur durch ihn sich erinnert, und ihr Genußhimmel gilt ihr nur als Bedingung und Vorhimmel des seinigen, und eine Hölle nähme sie um den selben Preis an. Ihr Herz ist die Festung, alles übrige um dasselbe herum nur Land und Vorstadt, und nur mit jenem wird das andere übergeben.

*Wenn man behaupten darf, daß sogar die Verlorne im Ge-
bärhause des Jammers gern für den süßen Rausch des
innern innigern Liebens die giftigen Lockspeisen hingäbe,
womit sie sich erhalten und betäuben muß, o wie soll da
das frische jungfräuliche Herz für den Sonnenaufgang
des Lebens, für die erste unüberschwängliche Liebe, und
zwar je reiner, folglich je stärker es ist und je ärmer es
war, nicht alles einem Gottmann hingeben, der dem auf
ein Weltteilchen bisher gehefteten Wesen plötzlich eine
ganz neue Welt auftut, die für die Jungfrau eine erste
Welt ist mit der zweiten dazu? Wer soll dann der Liebes-
dankbarkeit Einhalt tun gegen den, der vor einem von
der Gegenwart eng umketteten Gemüte auf einmal Glück
und Freiheit weit ausbreitet, und der alle Träume ver-
körpert, die bisher die uneigennützige Seele in Sterne, in
Frühlinge, in Freundinnen und kindliche Pflichten ein-
gekleidet hatte? — Ich kenne den wohl, der Einhalt tun
soll: es ist d e r eben, der das Gegenteil fordert, der Geliebte. Wahrlich, eine kräftige und rein erzogene Jungfrau ist eine so poetische Blume der matten Welt, daß
jedem der Anblick, diese Prunkblüte einige Jahre nach
den Flitterwochen mit welkgelben gekrümmten Blättern
im unbegoßnen Blumenscherben niederhängen zu sehen,
wehtun müßte, sobald er nur darauf als ein Dichter hin-
schaute, wenn er folglich im Schmerze über die Dienst-
barkeit und Knechtsgestalt des menschgewordenen Lebens, über den Unterschied der Frau von Jungfrau lieber das Tötlichste wünschte, sodaß er die Jungfrau lieber
noch mit ihrem Knospenkranze von Rosen, mit ihrer
Zärte, ihrer Unkunde der Lebensschärfen, ihrem Traum-
abrisse eines heiligen Edens lieber, sag ich, in die Gottes-
ackererde als in die Lebensheide schicken würde. Tu es
doch nicht, Dichter! Die Jungfrau wird ja Mutter und
gebärt die Jugend und das Eden wieder, das ihr entflo-*

gen ist. Auch zur Mutter fliegt einstmals eines zurück,
aber ein schöneres; und so lasse, was ist!

29

Woher kommt's, daß sogar im sittlich unterhöhlten Paris
die Weiber eine „Heloise", eine „Atala", eine „Valerie",
worin nur Liebe des Herzens spielt und flammt, so begie-
rig wie Liebesbriefe lasen? Frauen, sogar alte, und Jüng-
linge verschlingen solche Werke, indes ältere Männer sich
lieber von Werken entgegengesetzter Art verschlingen
lassen. Warum verwundern Männer und Weiber sich über
eine weibliche Niederlage, aber nicht über eine männliche?
Der letzten scheint demnach der Reiz der Überraschung
abzugehen.

Ferner: wie im streng gespielten Schach der, welcher den
ersten Zug tut, oder im Kriege der, welcher angreift, ge-
winnt, so müssen wohl die Weiber als der angefallene Teil
erliegen. Aber wer greift u n s an als wir uns selber? Und
wer ist schuldiger: die Schlange auf dem Baum oder Eva
unter dem Baum? (Und wie klein und vergänglich ist der
Preis, um welchen wir oft das ganze Glück eines weib-
lichen Lebens verkaufen!)

Ferner: die weibliche Phantasie — nicht wie die männ-
liche durch Getränke und Anstrengungen abgenutzt —
muß an unserer desto leichter zu hohen Flammen auf-
gehen, die das Glück verzehren.

30

Hippel bemerkt (und mit Recht), daß ein Mann, im Un-
rechte ertappt, mut- und sprachlos ist, eine Frau aber
desto kecker bis zur Zornwut. Allein die Ursache ist: der
Mann, aber nicht die Frau schaut s i c h an; sie macht da-
her andern und sich selber leicht ihre Unschuld weis. Kurz:
ihre Sünden sind, wenn unsere öfter besonnene sind, mei-
stens unbesonnene, also verzeihlicher.

Aus dem bisher Gesagten folgt, daß die Mädchen zu nichts als zu Müttern, das heißt zu Erzieherinnen zu erziehen wären.

Allein bevor und nachdem man Mutter ist, ist man ein M e n s c h. Die mütterliche Bestimmung aber oder gar die eheliche kann nicht die menschliche überwiegen oder ersetzen, sondern sie muß das Mittel, nicht der Zweck derselben sein. So wie über dem Künstler, über dem Dichter, über dem Helden und so weiter, so steht über der Mutter der Mensch, und so wie zum Beispiel mit dem Kunstwerk der Künstler zugleich noch etwas Höheres bildet, den Schöpfer desselben, sich, so bildet die Mutter mit dem Kinde zugleich ihr heiligeres Ich.

Überall wird von der Natur alles Göttlich-Menschliche in der Bedingung des Örtlichen gegeben und das Ideale dem Körperlichen, der Blumenduft einem Kelche einverleibt; an gemeine Bande und Fäden sind die köstlichsten verlierbaren Perlen gereiht, und sie werden durchbohrt, um bewahrt zu werden.

Wenn nun die Natur die Weiblichkeit zur Mütterlichkeit bestimmt, so ordnet sie schon selber die Entwickelungen dazu an, und wir brauchen bloß ihr nicht zuwider- und vorzugreifen. Aber da sie überall blind und stark nur auf ihren einseitigen Zweck und auf Enden und Ende hinarbeitet, so muß das Erziehen sie, obwohl nicht bestreiten — denn jede Naturkraft ist heilig! — doch ergänzen, indem es die unterdrückende Kraft durch die waagehaltenden Kräfte mildert, reinigt und einstimmt.

Die Frau fühlt sich, aber sieht sich nicht. Sie ist ganz Herz und ihre Ohren sind Herzohren. Sich selber und was dazu gehört, nämlich Gründe anzuschauen, wird ihr sauer. Gründe verändern und bewegen den festen Mann leichter als die weiche bewegliche Frau, so wie der Blitz leichter durch feste Körper geht als durch die leichte Luft.

Je reiner das Goldgefäß, desto leichter wird es verbogen; der höhere weibliche Wert ist leichter einzubüßen als der männliche. Nach der altdeutschen Sitte auf dem Lande gehen auf dem Wege zur Kirche die Söhne hinter dem Vater, die Töchter aber vor der Mutter; wahrscheinlich weil man die letzten weniger aus den Augen zu lassen hat.

Versündigt euch nicht an den Töchtern, daß ihr ihnen das, was Wert an sich hat, die Kunst, die Wissenschaft oder gar das Heilige des Herzens, auch nur von weitem als Männerköder, als Jagdzeug zum Gattenfange geist- und gottlästernd zeigt und anempfehlt! Es so gebrauchen, heißt mit Diamanten nach Wild schießen oder mit Zeptern nach Früchten werfen.

Anstatt den Himmel zum Mittel und Henkel der Erde zu machen, sollte man höchstens diese zur Vermittlung von jenem steigern.

Nur der gemeine Haus- und Palastverstand, die Ordnung, die Wirtschaftskenntnisse und ähnliches, können als künftiges Bindewerk des ehelichen Bandes vorgepriesen werden.

Überhaupt sind die sogenannten weiblichen Talente zwar Blumenketten, an welche man den Amor legen kann, — aber der Hymen, der diese und sogar Fruchtschnüre ab-

und durchnützt, wird am besten von der goldenen Erb-
kette wirtschaftender Anstelligkeit gehalten und gelenkt.

Will eine Geliebte den künftigen Bräutigam auf starkes
Verlangen der Mutter recht beobachten und sehen im
Schlafrock, so setze sie sich (da es keinen bessern Schlaf-
rock der Seele gibt als den Reiserock) mit ihm und der
Mutter in den Wagen und fahre mit ihm zwei oder drei
Tage herum, und womöglich in elendem Wetter und
(wenn's in Sachsen ist) auf noch elendern Wegen; — nun,
dann müßte der Mann zehn Charaktermasken und Vene-
zianische Mäntel angetan haben, wenn sie aus seinem Be-
handeln und Beherrschen der Kutscher und Wirte — aus
seinen Gesichtern bei den verschiedenen Stuben, Gerichten
und Wolken — aus seinem Handhaben der Gegenwart
und aus seinem ungemeinen Not- und Hilfsverstand, den
er bei den kleinsten unvorhergesehenen Ereignissen so
schön an den Tag legt, — seltsam, sag ich, muß es zu-
gehen, wenn nicht die Brautmutter ihn daraus so kennen
lernen wollte, daß sie ihm ohne weiteres im günstigsten
Falle, wenn er aus dem Wagen aussteigt, nicht erlauben
sollte, ins Ehebett einzusteigen.
Auf ähnliche Weise sind umgekehrt an einer reichen Witwe
Herz und Nieren zu prüfen, wenn der künftige Bräuti-
gam mit ihr einige Tage unterwegs übernachtet und mit
ihr verreist.

Die prüden Weiber, die so leicht durch Worte geärgert
werden, haben meistens schon durch Taten selber geärgert,
und manche Frauen gleichen dem Zunder in der Emp-
fänglichkeit für jedes Fünkchen nur darum so sehr, weil
sie ihm auch in dem Umstand, schon einmal gebrannt zu
haben, gleichen.

Ich rate den Liebhabern, sich für die Ehe mehr Manneskraft und Charakter anzuschaffen, als sie in der Liebe zu zeigen nötig haben; denn eben in jener setzt früher die weichere Frau für sich und ihre Kinder einige feste harte Schutzrinden an, und unter der zarten Blütenkrone und in der weichen süßen Fleischhülle des Pfirsichs gestaltet sich unerwartet die Steinschale für Kerne und deren Zukunft.

40

Die Liebe vermindert die weibliche Feinheit und verstärkt die männliche.

41

Wenn die Weiber von Weibern reden, so zeichnen sie besonders an der Schönheit den Verstand und am Verstande die Schönheit aus, am Pfau die Stimme, das Gefieder an der Nachtigall.

42

Die Frau spielt auf der Bühne besser in einer Rolle, wo sie sich zu weinen s t e l l t , als in einer, wo sie zu weinen hat.

43

Wenig Männer würden eine Corday, eine Jeanne d'Arc heiraten wollen; aber die meisten Weiber gewiß einen Brutus und ähnliche; und insofern steht die weibliche Liebe höher. In der Freundschaft kehren es aber beide Geschlechter um.

44

Kleider sind die Waffen, womit die Schönen streiten, und die sie, gleich den Soldaten, dann nur von sich werfen, wenn sie überwunden sind.

45

Die Weiber lieben die Stärke, ohne sie nachzuahmen; die Männer die Zartheit, ohne sie zu erwidern.

Die weiblichen Laster werden verächtlicher als die männlichen, weil jene öfter aus Schwäche, diese öfter aus Stärke kommen.

Die Kinder werden am meisten in Krankheiten, die Weiber in der dreivierteljährigen verdorben; jene durch Nachsicht, diese oft durch diese und das Gegenteil.

Egoisten wissen ziemlich, daß sie es sind; aber Egoistinnen nicht; so wie weibliche Seelen, deren Leben sich um die Himmelsachse der höchsten, uneigennützigen Liebe bewegt, wenig von dieser wissen. Der männliche Egoismus will mehr verachten, der weibliche mehr hassen; denn da der letztere s e i n e Liebe bloß nach seinem Fordern f r e m d e r abmißt, so glaubt er folglich destomehr zu lieben, je mehr er haßt, nämlich entbehrt.

Weiber sprechen lieber v o n als i n der Liebe; Männer umgekehrt.

(An angebetete Mädchen.) Die Jünglinge fallen vor euch auf die Knie, aber nur wie das Fußvolk vor der Reiterei, um zu besiegen und zu töten, oder wie die Jäger nur mit gebogenen Knien (als hätten sie Amors Geschoß) ihre Opfer fällen.

(Die Liebende.) „Liebst du mich?" fragte der Jüngling die Geliebte jeden Morgen; aber sie sah errötend nieder und schwieg. — Sie wurde bleicher, und er fragte wieder; aber sie wurde rot und schwieg. — Einst als sie im Sterben war, kam er wieder und fragte, aber nur aus Schmerz: „Liebst du mich nicht?" — und sie sagte „Ja" und starb.

(Sprechen der Liebe.) „Liebst du mich?" fragte der Jüngling in der heiligsten und reichsten Stunde der Liebe, in der ersten, wo die Seelen sich finden und geben. Die Jungfrau sah ihn an und schwieg. — „O, wenn du mich liebst", sagte er, „so schweige nicht!" Aber sie sah ihn an und konnte nicht sprechen. — „Nun, so war ich denn zu glücklich gewesen und hatte gehofft, du würdest mich lieben. Alles ist jetzo vorüber, Hoffnung und Glück!" sagte der Jüngling. — „Geliebter, lieb ich denn nicht?" fragte die Jungfrau und fragte es wieder. — „O, warum sprichst du die himmlischen Laute so spät?" fragte er. — Sie antwortete: „Ich war zu glücklich und konnte nicht sprechen; erst als du mir deinen Schmerz gabst, da konnt' ich's."

53

Töchter, welche bloß von Vätern erzogen werden, saugen soviel männlichen Geist ein, daß ich Liebhabern derselben die strengste Prüfung anrate, ob sie selber genug davon besitzen, um den fremden sowohl zu leiden als zu leiten.

54

Eine Braut kann ihren Bräutigam mitten im Wortgewitter gegen seinen Bedienten ohne Entkräftung ihrer Liebe antreffen; wenn e r aber die Braut im Zankgefecht mit ihrer weiblichen Dienerschaft überrascht, so kann ihr leicht vom Prachtvogel Junos nichts bei ihm übrig bleiben als dessen — Stimme. Das Rüge-, Friedens- oder Kriegsgericht einer Jungfrau über eine Untergeordnete wird ihr eigenes. Diese Wichtigkeit eines weiblichen Aufbrausens bei der Unwichtigkeit eines männlichen gibt viele Winke und Schlüsse.

55

Empfindelei bessert sich mit den Jahren; Koketterie verschlimmert sich mit den Jahren.

Nach jedem Tee-, Eß- und Ballabende und überhaupt nach jedem gesellschaftlichen Festtage bekommen die Weiber noch einen blauen Montag nachzufeiern, nämlich den nächsten Tag, an welchem sie das Festgestern fremden Ohren malen, und dessen Genuß ihnen gewiß bleibt, wenn sie auch nichts zu schildern hätten als einen der langweiligsten Abende. Daher suchen sie niemals so eifrig Gesellschaft, als wenn sie aus einer kommen, besonders aus einer schlechten.

Männer sprechen selten und ungern von abgefallenen und bundbrüchigen Freunden. Weiber unterhalten sich mit ihren jetzigen Freundinnen so erquickt und weitläufig von den Untreuen ihrer vorigen abtrünnigen, als wären ihnen die Freundinnen nur Bekannte gewesen und jetzo diese jene geworden. Diese Bemerkung würde fast scherzhaft und satirisch klingen, wäre sie nicht ernsthaft und wahr.

Ich fürchte sehr, die Leichtigkeit der männlichen Siege über weibliche Tugend ist (doch aber nur bei der kleineren Weiberzahl) nicht der Übermacht des sinnlichen Augenblicks oder dem Übermannen der Neuheit beizumessen, sondern vielmehr der Gewalt alter gepflegter Liebesbilder und Gegenaltarblätter, welche im freien zügellosen Reiche der Phantasien verborgen hinter Wangen und Lippen spielten und schweiften und durch ein phantastisches Mehr leichter mit dem wirklichen Minder versöhnten.

O mit euch armen Weibern! Wüßtet ihr oder ich denn in euren vernähten, verkochten, verwaschenen Leben oft, daß ihr eine Seele hättet, wenn ihr euch nicht damit ver-

liebtet? Manche von euch brachte in langen Tränenjahren ihr Haupt nie empor, als am sonnenhellen kurzen Tage der Liebe, und nach ihm sank das beraubte Herz wieder in die kühle Tiefe. So liegen die Wasserpflanzen das ganze Jahr ersäuft im Wasser, bloß zur Zeit ihrer Blüte und Liebe sitzen ihre heraufgestiegenen Blätter auf dem Wasser und sonnen sich herrlich und — fallen dann wieder hinab.

60

Gegen weibliche Eitelkeit habe man fast ebensoviel wie gegen männlichen Stolz, nämlich so wenig. Vorzüge, welche wie Blumen auf der Oberfläche liegen und immer prangen, machen leicht eitel, daher Weiber, Witzköpfe, Schauspieler, Soldaten durch Gegenwart, Gestalt und Anzug es sind, — indes andere Vorzüge, die wie Gold in der Tiefe ruhen und sich nur mühsam offenbaren — Stärke, Tiefsinn, Sittlichkeit — bescheiden lassen und stolz. Kein Mann setzt sich lebhaft genug in die Stelle einer schönen Frau, die, ihre Nase, ihre Augen, ihre Gestalt, ihre Farbe als funkelnde Juwelen durch die Gassen tragend, mit ihrem stehenden Glanze ein Auge ums andere blendet und mit ihren Verdiensten gar nicht aussetzt.

61

Der Wunsch, mit einem Werte zu gefallen, der bloß im sichtbaren oder äußerlichen Reiche herrscht, ist so unschuldig und recht, daß der entgegengesetzte eben unrecht wäre, dem Auge und Ohre bedeutungslos oder mißfällig zu werden. Freilich gibt's eine vergiftende Eitelkeit und Gefallsucht, die nämlich, welche das innerliche Reich zu einem äußern herabsetzt, Gefühle zu Zugnetzen der Augen und Ohren ausbreitet und mit dem, was eigentümlichen Wert hat, sich abgeleiteten kauft und bezahlt. Immerhin wolle ein Mädchen mit Leib und Putz gefallen, nur nie etwa mit heiligen Empfindungen; und eine sogenannte schöne Beterin, welche es wüßte und darum kniete, würde niemand anbeten als sich — und den Teufel — und einen Anbeter.

62

Wenn der Mann lauter Kothurnen hat, worauf er sich der Welt höher und leichter zeigt — Richterstuhl, Parnaß, Lehrstuhl, Siegwagen und so weiter — so hat die Frau nichts, um ihren inneren Menschen daraufzustellen und zu zeigen, als ihren äußern. Warum ihr dieses niedliche Fußgestelle der Venus wegziehen? Und wenn der Mann immer in einem Kollegium und Korps gleichsam in einer Versicherungsgesellschaft seines Ehrengehalts steht, die Frau aber nur den einsamen Wert ihrer Persönlichkeit behauptet, so muß sie desto schärfer darauf halten.

63

Was bedeutet denn das weibliche Toilettenzimmer anders als die theatralische Anziehstube? Und warum gibt's denn so viele Kanzeln gegen jene? Die Kanzelredner auf ihnen bedenken nicht genug folgendes:

Der Frau ist das Kleid das dritte Seelenorgan — denn der Leib ist das zweite und das Gehirn das erste — und jedes Unterkleid ist ein Organ mehr. Warum? Ihr Körper, ihre wahre Morgengabe, fällt mit ihrer Bestimmung mehr in eins zusammen als der unsrige mit unserer; und ihrer ist — wenn unserer mehr das Pilger- und Grubenkleid mit der Bergmannsschürze ist — ein Krönungskleid, ein Hofhabit. Er ist eine heilige Reliquie einer unsichtbaren Heiligen, die nicht genug kann geehret und bekleidet werden; und das Anrühren dieses heiligen Leibes tut allerlei Wunder. Daher müssen den Frauen Kleider und Putz als Firnis des Gemäldes, als Vervielfältigung ihrer Außenseiten und Facetten wichtig gelten.

Die Schönheit zieht uns Männer an; ist sie aber gleich einem armierten Magnete noch mit Golde oder Silber bewaffnet, so zieht sie uns, wie es scheint, noch sechsmal stärker an.

Kleider sind dem schönen Geschlecht das, was dem männlichen die Gedanken sind: der Kleiderschrank ist die Bibliothek, das Ankleidezimmer die Studierstube.

Es gibt Frauen, deren Ehre, aber nicht deren Eitelkeit man beleidigen darf.

Eine Frau ist der widersinnigste Guß aus Eigensinn und Aufopferung, der mir noch vorkam. Sie läßt sich für ihren Mann wohl den Kopf abschneiden, aber nicht die Haare daran. Ferner kann sie sich viel für fremden Nutzen, für eigenen nichts versagen.

Aus einer Frau ohne Torheiten wäre weiter nichts zu machen als ein Mann.

Die Ägypter pflegten bekanntermaßen, um das Bild ihrer verstorbenen Freunde gewisser zu verewigen, es auf Mumien zu malen. So ausgemacht dieses scheint, so grundlos ist doch, was einige mit eignen Augen gesehen zu haben schwören: daß auf der Gasse lebendige weibliche alte Mumien herumwandeln, die mit drei Farben — weiß, rot und schwarz — auf ihr lebendiges Gesicht ihr verstorbenes aufgetragen und gemalt und ihrer unsterblichen Häßlichkeit eine Kopie von ihrer längst verblichenen Schönheit anvertraut und einverleibt haben sollen. Ich wünschte, daß man uns mit solchen tückischen Zeugnissen künftighin zu verschonen belieben und überhaupt meine goldne Bemerkung mehr in Erwägung ziehen möchte, daß eine Lüge nur den ergötzt, der sie sagt, aber selten die andern, die sie hören, und niemals die, welche sie trifft.

70

Es wird einem Mann bei einer ganz vernünftigen Frau nie recht wohl, sondern bei einer bloß feinen, phantasierenden, heißen, launenhaften ist er erst zuhause.

71

Eine Frau errät leicht die menschliche, aber schwer die göttliche (oder teuflische) Natur eines Mannes, schwer seinen Wert und leicht seine Absichten, leichter seine innere Farbengebung als seine Zeichnung.

72

Die Weiber haben mehr Wallungen und weniger Überwallungen als wir.

73

Bloß um ein Gleichnis zu machen, sag ich es — denn leider ist die Sache selber sogar den weiberharten Franzosen durch ein Sprichwort bekannt — daß die Weiber schärfere und längere Seelenleiden, ohne unterzugehen, erdulden können als die Männer, welche oft ein einziger rechter Seelensturm umbricht. So sind jene den weichen Rubinen ähnlich, welche das Feuer unversehrt ausdauern, indes der härtere Diamant davon verflüchtigt wird. Wenn sie die geliebtesten Kinder, Gatten, Eltern verloren und die schönsten Hoffnungen und Freuden des Lebens eingebüßt, so wurde die Brust von den feurigsten Schmerzen nur wund gebrannt, aber nicht eingeäschert; nur dem Verluste eines Geliebten erlag oft eine junge Seele, aber bloß des jungen Körpers wegen. — Die Hyazinthe hängt nur über Wasser und blüht ohne Nahrung fort; sind euch keine Seelen bekannt, die auch nur über Tränen blühen?

Eine Frau gewinnt, wenn sie zu lange gewisse Erklärungen nicht verstehen will, nichts als — die deutlichsten.

Es wird besonders der Frau viel leichter, nachzugeben und stillzuschweigen, wenn sie recht, als wenn sie unrecht hat.

Keine Liebe — selber die erste, fünfte, neunte nicht ausgenommen — hat ein Mädchen so schnell als die zweite.

Das Herz junger Mädchen läßt wie neue Holzbutten anfangs alles durchtropfen, bis es die Gefäße durch Schwellen behalten.

Man weiß es allgemein, daß die lieben Mädchen so oft Empfindsamkeit mit Rechtschaffenheit, Briefe mit Taten und Tintentränen mit einem ehrlichen warmen Blute verwechseln.

Mädchen und Himbeeren haben oft schon Maden, eh sie noch reif sind.

Die Liebe bringt bei Mädchen entgegengesetzte Eigenschaften vor: sie macht die Starken sanft, die Sanften stark, die Feinen minder fein, die Ordentlichen unordentlich.

Die Mädchen verstecken ihren Kummer leichter als die Freuden.

Jungfrauen, seid freigebiger mit dem Geist; der weibliche wird nicht so leicht erraten und vorausgesetzt, und eine

ordentliche Rede wird nicht so leicht vergessen wie eine
Einsilbe von Ja oder Nein. Hingegen geizet mit der zweiten Sprache: zehn Küsse werden leichter vergessen als
ein Kuß, ein Seitenblick wird länger behalten als ein
Anschauen.

83

(Die jungen Mädchen.) Die Natur selber umgab diese ver-
letzbaren Seelen mit einer angebornen Wache: mit der
Sprech- und Hörscheu. Die Frau braucht keine andere
beredte Figur — höchstens ihre ausgenommen — so oft
wie die des Akzismus. (So nennen die Redekünstler die
rednerische Wendung, von Sachen ohne alles Verlangen
zu sprechen, nach welchen man das stärkste trägt.) Über
diese Wache halte man wieder Wache und nehme nach
diesem Fingerzeige der Natur als Erzieher den Weg zur
Bildung. Mütter, Väter, Männer und selber Jünglinge
sind für sie darum die bessere Gesellschaft; Mädchen hingegen mit gleichjährigen Mädchen verbunden — zum Beispiel in Pensionen — stehen miteinander in einem Tausch-
handel weniger ihrer Vorzüge als Schwächen, von der
Putz- und Gefall- und Schmähsucht an bis zum Vergessen des Akzismus. Schon ungleichjährige Schwestern schaden einander, wievielmehr gleichjährige Gespielinnen;
man höre nur in einer weiblichen Erziehanstalt die gegen-
seitigen Neckereien, wenn eben ein Jüngling darin vor
oder hinter das Sprachgitter gekommen war. Im Vater-
hause würde aus einem solchen Besuche weniger gemacht,
schon weil er öfter, ernster und zwischen weniger Neben-
buhlerinnen abgelegt würde.

84

Nichts wischt den zarten Blumenstaub so hart von der
Mädchenseele, wie jenes altjungferliche Lärmschlagen
gegen unser Geschlecht, jenes prüde Gebell gegen ein Geschlecht, wovon doch jede die doppelte Ausnahme eines

Vaters und Bräutigams machen soll. Es gibt eine böse ungeistige Schamhaftigkeit, welche dem steinernen Schleier ähnlich ist, der an einer Bildsäule der „Schamhaftigkeit" von A. Corradini plump, einzeln und als ein zweiter Körper sich von ihr weghängt. Über gewissen Abgründen dürfen weibliche Seelen, wie die Maultiere über den schweizerischen, nicht gelenkt werden, wenn sie nicht fallen sollen. Gewisse Abmahnungen wiegen Zureden und Lockspeisen gleich. Glänzen die Eltern mit reinem Beispiel, so brauchen sie nicht die Schamhaftigkeit, diese Flügeldecken der Psychesflügel, mit neuen Überdecken zu verstärken. Durch Lehren wird dem Kinde anfangs der unschuldige Mangel an Scham, später das stille Dasein derselben geraubt.

85

Es klingt fast wie Satire, wenn man sagt, daß die Weiber einander nicht sehr lieben und leiden können, und daß sie mit ihren freundlichen Worten gegen einander oft mehr der Nachtigall nachahmen, welche (nach Bechsteins Vermutung) durch ihre Locktöne eben Nachtigallen zu verscheuchen sucht, sodaß die Behauptung der Scholastiker, nach welcher sie am Jüngsten Tage als Männer auferstehen, sich in etwas mit der Natur des Himmels unterstützen ließe, in welchem — als dem Wohnorte ewigen Liebens — Weiber, zu Männern umgegossen, natürlich leichter in einem fort lieben bei gänzlicher Abwesenheit ihres Geschlechts. Indes hat man doch die Tatsachen, daß die Römerinnen gegen ihre Sklavinnen und am Ende Hausfrauen gegen ihre weibliche Dienerschaft eine Härte beweisen, mit welcher unsere gegen die männliche einen schönen Abstich macht, der uns zu unserem Erstaunen den Ehrennamen des sanftern Geschlechts zuwege bringt. Verleumden oder den sogenannten Zungentotschlag, wodurch ein Besuchzimmer eine Walstatt und Herzen- und Schä-

delstätte erlegter solcher Frauen wird, die nicht Tee mit-
getrunken, bring ich nur flüchtig in Anschlag.
Aber sollte man hier nicht ernst zurufen: Mutter, wecke
und pflege doch vor allem in deiner Tochter Achtung und
Liebe gegen ihr eignes Geschlecht?

86

Ich hasse nichts so als laute und stille Verleumdungen
eines Geschlechts, das — unglücklicher als das männliche
— sich von zwei Geschlechtern zugleich gemißhandelt erblickt.

87

Die Weiber erraten so leicht, weil sie sich immer nur erraten lassen, und ergänzen und verbergen jede Hälfte
mit gleichem Glück.

88

Nur die Kokette wird durch die Liebe befehlshaberischer,
aber die Stolze wird dadurch bescheiden und sanft.

89

Sentenzen gefallen und bleiben den Weibern am meisten. Daher will ich zur Belohnung mehr als eine über sie
verfertigen.

90

Sie halten andere nur für jünger, nicht für schöner als sich.

91

Sie sind noch zehnmal listiger und falscher gegen einander als gegen uns; wir aber sind gegen uns fast noch red-
licher als gegen sie.

92

Sie sehen nur darauf, d a ß man sich bei ihnen entschuldigt, nicht w i e.

93

Sie vergeben dem Geliebten mehr Flecken als wir der Geliebten. Daher die Romanschreiber die Helden ihres Kiels

saufen, toben, duellieren und überall übernachten lassen ohne den geringsten Nachteil der Helden; die Heldin hingegen muß zuhause neben der Mutter sitzen und ein Engelein sein.

94

Weiber halten eigene Geheimnisse, Männer fremde.

95

Ein weiblicher Engel wird durch Hassen leichter als ein männlicher Teufel zum Würgeengel.

96

Eine nie auf die Probe gestellte Frau denkt stets von sich zu gut und vom Sieg zu leicht.

97

Bloß im Kummer wagen die Weiber.

98

Weiber sind in der männlichen Uhr die Unruhe, welche die Bewegungen mäßigt.

99

Nie ist die weibliche Stimme schöner als im Trösten.

100

In der Natur ist keine Freude so erhaben rührend wie die Freude einer Mutter über das Glück ihres Kindes.

ABGERISSENE EINFÄLLE
Zweites Hundert

1

Der Krieg vergießt Blut, der Friede nur Tränen. Dieser macht — da nach jeder Prügelsuppe die Armensuppe aufraucht — keine schlimmere Mörder als Selbstmörder, ja er reicht zur Rettungsleiter gegen das Kriegsfeuer die Galgenleiter, welche die verlornen vier Pfähle leicht durch drei ersetzt.

2

(Die politischen Stoiker.) „Was weint ihr denn dazu?" sagen Reiche, Künstler, viele Gelehrte und Landläufer. „Beobachtet doch lieber, wie wohlgemutet w i r die jetzige böse Zeit durchziehen!" — So wandert ein Mann auf Stelzfüßen leicht durch Wasser, Kot und Schnee, ohne dabei im geringsten sich zu erkälten oder sonst an Füßen und Stiefeln zu leiden.

3

Die Mondflecken werden nach großen Gelehrten benannt, die Erd- oder Geschichtsflecken nach großen Kriegern.

4

Welche Träger trägt nicht die arme Menschheit: die Fah-

nenträger, Waffenträger, Achselträger, Infulträger — gibt's
eine größere Kreuz- und Lastträgerin?

5

„Ein Glockenspiel, das bestände aus Sturmglocken, Schand-
glocken, Verwandlungsglöckchen, Taufglocken, Harmo-
nikaglöckchen, Präsidenten- und Bedientenglocken, aus
der Warnglocke und der Stummenglocke, und das zusam-
menspielte, wie könnte man dieses Glockenspiel wohl
nennen?" — Ich glaube: die jetzige Zeit. — „Und wie die
Glockenspeise?" — Die gestrige. — „Und den Glöckner?" —

(Warnglocke heißt in den Mühlen die Glocke, welche das Zeichen, daß die Mühlsteine nicht mehr zu mahlen haben, geben
muß, damit nicht die leeren Steine sich und die Mühle ent-
zünden.)

6

(Der Kaufmann.) Haus und Tafel hielt er offen, sogar
seine Hand, bloß sein Auge nicht. Aber endlich öffnete er
auch dieses, als er seinen Laden — schloß.

7

Der Sprudel der Zeit kann dich verwässern, versteinern,
— aber auch heilen und wärmen.

8

Können wir anders zu Gott beten als: „O Gott!" — sei
es Freude, sei es Schmerz?

9

So viele Blüten des Lebens fallen ab, später so viele halb-
reife Früchte. Ist nun d e i n Herbst daran leer? Der
Mensch kann, wie der Baum, nicht alle Blüten zu Früchten vollenden, die er treibt.

10

Die Blume schläft, das Herz schläft, aber um voller wieder zu erwachen.

Wir tun als sei ein Sternenhimmel das All, als läge nicht hinter jedem Himmel ein Himmel, hinter jedem sichtbaren All ein zweites und hinter beiden ein unsichtbares.

Die größten Leiden triffst du, von den körperlichen bis zu den geistigen hinauf, in den höhern Ständen an, — so wie Hinrichtungen nur auf Anhöhen geschehen oder die Menschen auf Alpen und auf Luftschiffen unwillkürlich bluten, — so wie die sogenannten Genies wechselnd entweder entzückt sind oder verdammt. Wenigstens hat die Volkstiefe gegen ihre kurze Folterleiter des Körpers (der Geist leidet da selten) eine lange Himmelsleiter körperlicher und geistiger Freuden übrig zum Schutze, auf welcher sie in ihrer niedrigen Stellung immer mehre Stufen über als unter sich hat, — so wie das ganz tiefe Tier gleichsam als Gras in einem Huftritt wächst, über welches die Sense ohne Schaden weggleitet.

Ich habe oft Fische mit bloßen Floßfedern von Wipfel zu Wipfel fliegen sehen — und habe damit die seltene Kraft der jetzigen Menschen verglichen. Natürlich waren die Fische im Wasser und die Bäume am Ufer, und auf ihren abgespiegelten umgekehrten Wipfeln schnalzten die wirklichen Fische.

In einer großen Stadt zum Fenster hinaussehen gibt eine epische Stimmung, in einem Dorfe nur eine lyrische oder idyllische.

Für Engherzige ist jede Alpe ein Alp.

In unserm Jahrhundert sagt den Exorzismus der Teufel selber und verdoppelt sich bloß, wenn er ausfährt.

Zwei kräftige Freunde sind wie zwei Uhren, welche in ihren kleinen Perpendikelschlägen wechselnd abweichen und zustimmen, aber bei dem großen ordentlichen Ausschlagen in e i n e r Stunde zusammentreffen. Gebilligt, gesegnet sei diese Ungleichheit der Ähnlichen!

Gewöhne dein Leben nicht an e i n e Kraft, da du mehr als eine hast. Kannst du in der Finsternis das Sehrohr nicht gebrauchen, nimm das Hörrohr! Am Tage kehr's um!

Der Unterschied zwischen einem Unglücklichen und einem Glücklichen ist wie der zwischen einem, der das dreitägige Fieber, und einem, der das viertägige hat: jener hat zwischen den Anfällen e i n e n guten Tag, dieser zwei.

Je härter gegen andere, desto weniger gegen sich, und die Prahler mit Unempfindlichkeit, welche schwer von fremden Leiden schmelzen, weinen und zerfließen am ersten bei eigenen, und die weiche Frau erträgt mehr als der harte Mann. So hält der harte Diamant das Feuer nicht aus, das die andern, weichern Edelsteine bestehen.

Die jetzigen Leute besuchen die Gesundbrunnen der Philosophie und Dichtkunst, nicht um durch sie die Steinbeschwerden ihres Innern zu heilen und zu zerteilen, sondern um davon artige Versteinerungen nach Hause zu bringen.

Der despotische Thron ist die hervorragende Turmspitze eines von Bergen verschütteten Dorfs.

(Selbstsucht des Kindes und des Greises.) Das Kind denkt und sieht in unschuldiger Selbstsucht immer nur sich; der Greis, von seinen Leiden mit Gewalt auf sich zurückgewandt, tut dasselbe und muß neben der vor ihm kalt vorbeigehenden und ihm den Rücken kehrenden Zeit wie ein Einsiedler, ein Reisender in der Wüste nur immer s i c h hören und sehen. Bloß in der warmen und hellen Mitte des Lebens steht der Mensch nicht s i c h nahe, sondern der Welt, die er und die ihn ergreift. So gleicht der Mensch der Sonne über dem Meere, welche an ihrem Mittage ihr Bild nur fern in der Tiefe erblickt, hingegen im Aufsteigen und im Untergehen mit ihrem Glanzbilde in den Wogen zusammenfällt.

(Glück der Einschränkung.) Das Streifchen Blau, worein sich zuweilen der Wolkenhimmel spaltet, greift tiefer in das Auge des Herzens ein als ein ganzer blauer Himmel des Mittags um zwölf Uhr. Freilich noch mehr als das noch immer zu große Streifchen erfüllt mich mit Sehnsucht ein Stückchen Blau, nicht viel größer als ein Pfauenrad, in das ich aus meinem Fenster durch zwei einander gegenüber geöffnete Dachbodenlöcher wie in ein blaues Auge des Himmels hineinblicke. Denn grade innere Schrankenlosigkeit wird mehr durch das Verengen als das Erweitern der äußern Schranken befriedigt und genossen, da ihr keine äußere gegenüber zu stellen und der Erdkreis nicht unter unsern Füßen wegzuziehen ist, damit wir etwa, statt die himmlische halbe Blaukugel über uns zu haben, mitten in einer ganzen uns umflutenden hingen.

Wer Rügen, Strafen, ja wo möglich im Kriege Wunden mit einem Gefühle austeilt, als bekomme er sie selber —

so wie ein mit Elektrizität geladener Mensch mit jedem Funkenblitze, womit er auf den andern einschlägt, auch sich selber trifft und sticht —, der kann seiner Gerechtigkeit versichert sein und einer schönen Erhebung.

26

Mit wahrem Vergnügen liest jeder, wenn er sonst Gerechtigkeit und Deutschland liebt, die Berichte von obrigkeitlichen Ungerechtigkeiten und Todsünden, und die Freude wächst mit dem Unrecht, das man im Oppositionsblatte erfährt. Ein ähnlicher Genuß wurde unsern Vorfahren zuteil, als es noch Pestzeiten gab. Da nämlich während derselben Pestkarren, um mit keinen Anzeigen des Sterbens zu ängstigen, nur in der Nacht und noch dazu an den Rädern mit Tuch umwunden fahren und aus gleichem Grunde keine Totenglocken läuten durften, so war das Hören des ersten Sterbegeläutes ein Fest für jeden, weil er nun wußte, daß das Sterben nachgelassen, da man es wieder ansagte.

27

Jeder Freund ist des andern Sonne und Sonnenblume zugleich: er zieht und er folgt.

28

Ein jeder echte Freudentag kommt wie die Blattern nur einmal. Genießt ihn ganz auf, aber sucht diesen nicht mehr, sondern einen andern!

29

Ein kleines Leiden setzt uns außer uns, ein großes in uns. Eine Glocke mit einem kleinen Risse tönt dumpf; wird er weiter gerissen, so kehrt der helle Klang zurück.

30

Unser kurzer Blick macht uns weis, wenn wir die Gegenwart ganz nach der Vergangenheit verbessert haben: jetzt sei ein neues Leiden schwerlich zu befürchten. Sogleich zieht eines aus ganz fremden Ecken daher, gegen welches du keine Wetterstange hast, eben weil keine Vergangenheit die ungeheure Zukunft ausmißt. — So ist's auch mit der Leidenschaft. Du kannst, wenn du in der Ruhe ihre dir bekannte und verabscheute Gewalt gegen die Macht deiner gegenwärtigen Vernunft abwägst — welche schon alle Waffen gegen jeden künftigen Angriff bei sich trägt — nicht begreifen, wie sie dich wachend wieder überfallen kann. Dennoch kehrt sie siegend um, nur aber in neuer Gestalt, und entwickelt sich wie ein Windstoß aus dem hellsten Tage und fährt in deinen Himmel wie andere Schwanzsterne, deren Bahn du wohl berechnen kannst, aber nicht deren Wiederkunft und Nachzahl. — Freilich gibt es Waffenmittel gegen jede Zukunft, aber sie sind nicht aus der Vergangenheit abzuholen.

31

Die Erinnerung ist das einzige Paradies, aus welchem wir nicht getrieben werden können. Sogar die ersten Eltern waren nicht daraus zu bringen.

32

(Musik.) Das Weltmeer des Lebens ist von Ungeheuern bewohnt; die Töne sind blaue Wogen, welche die Ungestalt überschleiern.

33

Unser Leben ist eingewickelt in ein Scheinleben.

34

Beglücke, denn du machst stets mit e i n e m Menschen noch einige froh, die ihm angehören! Eben darum schone; denn e i n e n allein kannst du nie verwunden, aber du weißt dann nicht bei deinem Pfeilschusse auf e i n Herz, wieviele Herzen hintereinander stehen und mitgetroffen werden.

35

Das Ende der Jugend fühlt früher die Seele als der Leib, dessen seine oft in tiefe Jahre reicht, so wie der Geist sich nicht eher der blühenden Kindheit bewußt ist, als bis sie abgeblüht unter ihm liegt. Erst spät altert der Leib dem Herzen nach; aber dafür verjüngt sich oft dieses plötzlich zurück und trinkt sich wie ein Kind an der Milch ältester Vergangenheit und fernster Zukunft wieder frisch.

36

Das Geheimnis der Vorsehung kehrt nur von Seele zu Seele ein, und jede muß zu verschämt sein, um sie zu bekennen. Nur sollen wir Spät- und Kurzsichtigen nie sagen „Vorsehung" anstatt „Sehung" oder „Sicht"! — Mensch, hinter dir findest du in deinem Leben lauter Vorsehung, warum nicht vor dir? Kann denn von deiner Vergangenheit die Zukunft abarten? Freilich, du kannst eben jetzt in deiner Zukunft noch keine Vorsehung entdecken, aber könntest du das, so wäre ja die Zukunft schon da und der Vergangenheit einverleibt.

37

Bleibende Leiden? Es gibt keine, denn es sind Wolken. Je schneller sie am Himmel entfliehen, desto mehre fliegen nach. Aber auch die feststehende saugt der Äther ein und macht sie immer kleiner, bis sie vergeht.

38

(Freiheit der Seele.) O wir armen Freien der Metaphysik! Wie viele Schranken mögen uns nicht umgeben, die wir für keine halten, sondern für Freiheiten, wie das Wild im Wildzaun lustig rennt, ohne die Einsperrung zu erraten, oder wie der Vogel mit Freiheitsgefühl aus dem Käfig in das Zimmer fliegt. Aber freilich auch außerhalb des Zimmers ist Kerker, nur größerer, und so immer weiter fort. Ich weiß nur Einen, der nicht im Kerker sitzt, aber das All selber sitzt darin. Daher söhne man sich auch mit verkleinerten Kerkern aus.

39

Gott ist das Licht, das — selber nie gesehen — alles sichtbar macht und sich in Farben verkleidet. Nicht dein Auge empfindet den Strahl, aber dein Herz dessen Wärme.

40

Das Leben des Menschen ist ein Hineinsterben aus einem Sarg in den andern, wie Attila in einen goldenen kam, dann in einen silbernen, endlich in einen eisernen.

41

Heiliger Schlaf! Eben darum verglich man dich mit dem Tode. In einer Minute gießest du mehr Lethe über die Gedächtnistafel des zerritzten Menschen als das Wachen eines längsten Tags. Und dann kühlst du die auftobende entbrannte Brust, und der Mensch steht auf, wieder der Morgensonne würdig. Sei mir gesegnet, bis dein traumloser Bruder kommt, der noch viel schöner und länger besänftigt!

42

(Melancholie der Jugend.) Ein gewisser poetischer Ernst, eine philosophische Melancholie der Lebensübersicht tut den Jünglingen gegen die Blendungen des ersten Welt- und Städteglanzes jene Dienste der Milderung, wie den Reisenden in der Schweiz der schwarze Flor, welcher von den Augen die Blitze der Eis- und Schneemassen ableitet. Aber der Mann in der Späterzeit schlage ja diesen Flor zurück! Das Leben wird dann nicht mehr blenden, und nur unverdunkelten Augen wird es unverdunkelt erscheinen.

In der Jugend ist die Hoffnung ein Regenbogen und in den grauen Jahren nur ein Nebenregenbogen des ersten.

44

Sieht man den Sternenhimmel an, so freut man sich, in einer so unendlichen Welt auch als Funke zu fliegen.

45

Nur die zweite Welt macht Heilige.

46

In der Todesstunde gibt es keine Übertreibung mehr; das Sterben ist die höchste.

47

Sprecht nicht: Wir wollen leiden! — denn ihr müßt. Sprecht aber: Wir wollen handeln! — denn ihr müßt nicht.

48

Der Dichter gleicht der Saite: er selber macht sich unsichtbar, wenn er sich schwingt und Wohllaut gibt.

49

Gönnt und gebt dem Dichter Freuden, er bringt sie euch verklärt als Gedichte zurück, und er genießt die Blumen, um sie fortzupflanzen. Denn er ist der Biene ähnlich, die von den Blumen, aus denen sie Süßigkeit trinkt, den Blumenstaub weiterträgt und zu neuen jungen Blumen aussäet. Laßt ihn nach Italien fliegen, denn er bringt es auf seinen Flügeln als hängenden Garten der Dichtkunst mit!

50

Manche Dichter geraten unter dem Malen schlechter Charaktere oft so ins Nachahmen derselben hinein, wie Kinder, wenn sie träumen zu pissen, wirklich ihr Wasser lassen.

Vor Gericht werden oft ermordete Geburten für tot-geborne ausgegeben, in Antikritiken totgeborne für er-mordete.

(Die Treue.) „O, ich wohne ja in deinem Auge!" sagte der kleine Bruder, als er sich im schwesterlichen erblickte. — „Und ich wohne gar in deinem!" sagte die Schwester. — Gewiß, solange ihr euch seht, dachte der Vater; denn die Augen der Menschen sind ihren Herzen ähnlich.

Liefert das Leben von unsern idealen Hoffnungen und Vorsätzen etwas anderes als eine prosaische, unmetrische, ungereimte Übersetzung?

Je mehr Schwäche, je mehr Lüge; die Kraft geht gerade. Jede Kanonenkugel, die Höhlen oder Gruben hat, geht krumm.

Die Kultur macht ganze Länder (zum Beispiel Deutsch-land, Gallien und so weiter) physisch wärmer, aber geistig kälter.

In der Jugend liebt und genießt man unähnliche Freunde fast mehr als im Alter die ähnlichsten.

Nur eine vollendete, edle Seele vermag es, die geprüften Freunde nicht mehr zu prüfen, — zu glauben, wenn die Feinde des Freundes leugnen, — zu erröten wie über einen unreinen Gedanken, wenn ein stummer verfliegen-der Argwohn das holde Bild beschmutzt, — und wenn endlich die Zweifel nicht mehr zu bezwingen sind, sie noch lange aus den Handlungen fortzuweisen, um lieber in eine kameralistische Unvorsichtigkeit zu verfallen als in die schwere Sünde gegen den heiligen Geist im Menschen. Dieses feste Vertrauen ist leichter zu verdienen als zu haben.

58

Ach, daß der Mensch gerade zu d e r Zeit die schönste Liebe empfängt, wo er sie noch nicht versteht! Ach, daß er erst spät im Lebensjahre, wenn er seufzend einer fremden Eltern- und Kinderliebe zusieht, hoffend zu sich sagt: Ach, meine haben mich gewiß auch so geliebt! — Ach, daß alsdann der Busen, zu dem du mit dem Danke für ein halbes Leben, für tausend verkannte Sorgen, für eine unaussprechliche, nie wiederkehrende Liebe eilen wirst, schon zerdrückt liegt unter einem alten Grabe und das warme Herz verloren hat, das dich so lange geliebt!

59

Den Schlaf, den Reichtum und die Gesundheit genießet man nur, wenn sie unterbrochen worden.

60

Die meisten Freuden des Menschen sind bloß Zurüstungen zur Freude, und seine erreichten Mittel hält er für erreichte Zwecke.

61

Jede Reise verwandelt das Spießbürgerliche und Kleinstädtische in unserer Brust in etwas Weltbürgerliches und Gottesstädtisches.

62

Im Menschen fliegt der Teufel allemal früher auf als der Engel, der schlimme Vorsatz eher als der gute. Im Enthusiasmus ist die umgekehrte Rangordnung. Um deine festliegenden Gründe von moralischem Werte viel gewisser zu kennen als aus Entschlüssen und Handlungen, so merke nur auf die Freude oder Betrübnis, welche zu-

erst in dir bei einer moralischen Anforderung, Nachricht, Abweisung blitzschnell aufsteigt, aber sogleich wieder verschwindet durch das spätere Besinnen und Besiegen. Welche große faulende Stücke vom alten Adam findet man da oft!

63

Es werden uns die Lebensbahnen wie die Ideen vom Zufall angewiesen; nur das Fort- und Absetzen der einen wie der andern bleibt der Willkür freigestellt.

64

Heimlich glauben die meisten, Gott existiere bloß, damit sie erschaffen wurden.

65

Es ist leichter, a u s d e m Fluge des Adlers als d e n Flug des Adlers zu weissagen.

66

Jeder Staat geht zuletzt zugrunde, der ein Tretrad ist, das dessen Menschen nur bewegen, ohne sich auf dessen Stufen zu erheben.

67

Im längsten Frieden spricht der Mensch nicht soviel Unsinn und Unwahrheit als im kürzesten Kriege. Denn da es in diesem beinahe keine Gegenwart gibt, sondern nur Angst und Wunsch und Hoffnung, diese Seherinnen der Zukunft, im Frieden aber mehr Gegenwart, so ist's natürlich, daß man nichts schlechter sieht und malt als das, was noch nicht da ist.

68

Manche Staatseinrichtungen zünden ein Schadenfeuer an, um die eingefrornen Wasserspritzen aufzutauen, damit sie es löschen.

69

Viele Witzköpfe an e i n e r Tafel — heißt das nicht, mehrere herrliche Weine in e i n Glas zusammengießen?

Schwache und verschobene Köpfe verschieben und verändern sich am wenigsten wieder, und ihr innerer Mensch
kleidet sich sparsam um; ebenso mausern Kapaune sich
nie.

71

Die Alten heilten sich im Zeitenunglück mit Philosophie oder mit Christentum; die neuern aber, zum Beispiel in der Schreckenszeit, griffen zur Wollust, wie etwa
der verwundete Büffel sich zur Kur und zum Verband
im Schlamme wälzt.

72

Vor dem Unendlichen ist eine Bitte um eine Welt und
die um ein Stückchen Brot in nichts verschieden als in
der Eitelkeit der Beter, und er zählt entweder Sonnen
und Haare oder beide nicht.

73

Ruiniert alles, nur keine echten Ruinen, zum Beispiel
den alten Königsstuhl am Rhein, weil sie kein Gott ersetzen kann.

74

Die Pein-Moral einiger Neuern gefällt mir so wenig wie
deren Blutsverwandte, die Blut-Theologie. Während der
Schöpfer die ganze Tierwelt zu Freuden schuf, unter alle
Schritte, die sie zu ihrer Erhaltung und Erzeugung zu
tun hatte, Blumen säte und Genuß und Ruhe ihr nach
Tagen zumaß und Leiden nur nach Stunden, so soll der
König des Lebens, der arme Mensch, dem ohnehin das
Bewußtsein die Wunden länger offen hält, ordentlich
die Dornen suchen und die Rosen fliehen und soll den
Affen der Heuleraffen, den ewigen Leidtragenden und
Büßenden der Schöpfung spielen? Und dieses Darben
und Träumen und Vorhöllenleben nennt ihr christliche

Vorbereitung auf eine — unendliche Seligkeit! — Ihr habt ja schon im kleinern unrecht. Den mittlern Menschen wenden oft Leiden um, aber den bessern und stärkern können sie nur mehr verknöchern als erweichen. Wenn diesem hingegen viele Freuden hintereinander zufliegen und zusinken — mehr vom Himmel von selber tröpfelnd als mühsam aus der Erde hinausgeschöpft — und wenn er so gegen Verdienst und gegen Hoffnung selig und seliger wird, so fragt er sich, woher ihm dies kommt, und wenn er sich antwortet, so wird er weich und gut genug aus Dankbarkeit.

75

Wir empfinden den Abscheu vor unsern Fehlern nicht eher, als bis wir sie abgelegt; so wie uns vor unsern körperlichen Unreinigkeiten, vor unserem Speichel und so weiter, nur ekelt, wenn wir uns ihrer entledigt haben.

76

Erwachsene, zumal Weiber, haben sich ordentlich angewöhnt, den Kindern immerfort zu verbieten — wenigstens vorher, ehe sie es ihnen erlauben — und alle ihre kleinen Unternehmungen zu schelten, zumal ihre Freuden. Aber seid doch froh, daß sie sich noch selber keine vergällen! Könnt ihr ihnen denn eine einzige vom Munde weggerissene späterhin wiederholen? Und wär's auch: könnt ihr ihnen denn den jungen durstigen Mund und Gaumen wiederbringen, womit sie sonst jeder süßen Frucht einwuchsen und sich ansogen an sie? Der ewig sparende Mensch, der jedes spätere Vergnügen für ein größeres und weiseres hält, der im Frühling nur wie im Vorzimmer des Sommers lauert und dem an der Gegenwart nichts gefällt als die Nachbarschaft der Zukunft, dieser verrenkt den Kopf des springenden Kindes, das — ob es gleich weder vor- noch rückwärts blicken kann

*— doch bloß vorwärts und rückwärts genießen soll.
Wenn mir Eltern durch Gesetzhämmer und Ruten das
Laubhüttenfest der goldnen Kindheit in einen Ascher-
mittwoch verkehrt haben und den freien Augarten in
einen Gethsemane-Garten: wer reibt mir denn die Farben und malet mir, sobald nur hektische Jugenderinne-
rungen und Martyrologien vor mir sitzen, meinen dü-
stern Kopf mit frischen erquickenden Landschaftsstücken
des Jugendparadieses in jenen trocknen männlichen Stunden aus, wo man ein amtierendes geschätztes Ding und
ein gesetzter ordentlicher Mann ist und außer seinem
Brotstudium noch sein hübsches Stückchen Brot und auch
sein bißchen Ehre dabei hat und so vor lauter Fort- und
Auskommen in der Welt nun nichts weiter in der Welt
werden will als — des Teufels?*

77

*Wir Schatten bekommen Kraft des Lebens nicht, wie die
im Orkus, durch das Blut, das man uns opfert, sondern
durch das, welches wir selbst opfern aus uns. Wo wir
lieben, verliert alles sein Toten- und Winteraussehen, so
wie warme Quellen an ihren Stellen die beschneiten Auen
entblößen und ihr Grün aufdecken.*

78

*Der Schlaf hat eine Grazie zur Frau. Wie das Sterben
streicht der Schlaf die großen Züge der Leidenschaft mildernd aus.*

79

*Bei einem Gewitter fürchtet man nicht, daß einer von
den zwanzigtausend Menschen in der Stadt erschlagen
werde; aber bei sich selbst findet man es wahrscheinlich.
Warum? Gewiß nicht aus bloßer Selbstsucht, sondern
man malt bloß bei sich die Folgen des Erschlagens heller
aus. Je mehr Farbe und Größe man einer Gefahr gibt,
desto wahrscheinlicher tritt sie uns nahe.*

Gehst du furchtsam und zart mit deinen Leiden um, so stechen sie heißer, wie Brennesseln, wenn man sie bloß leise berührt. Aber gleich ihnen verletzen sie wenig, wenn du sie herzhaft und derb handhabst.

Bis auch nur e i n Mensch ganz glücklich in jedem Gefühle bloß e i n e Stunde würde: der Aufwand einer ganzen zusammengreifenden Welt gehörte dazu.

Der hohe Mensch muß sich über die Höhen der Wirklichkeit erheben, wie der Adler über den Chimborasso.

In den Niederungen und Tiefen ohne Gott und Herz dauern alle Qualen lange; auf den Höhen der Religion hat der Mensch zwar auch noch Schmerzen, aber nur kurze. So verlängern die Nächte sich in den Tälern; aber auf den Bergen werden sie abgekürzt, und immer leuchtet ein kleines Rot am Himmel dem Tage nach oder entgegen.

Man bleibt sich — zumal von den männlichen Jahren an — weit ähnlicher als man sich schmeichelt bei der gewonnenen Menge neuer Erfahrungen und Bücher, ja fremder Ansichten. Da das Gemüt des Menschen sich wenig mehr ändert im dritten und vierten Jahrzehend, so sieht man aus den so unbedeutenden Veränderungen, welche das Studium in uns nachläßt, wie unsere Unveränderlichkeit auf das Gemüt sich baut.

Die Träne, welche es auch sei, eine der Freude oder der Trauer, sie macht einen eingewelkten Menschen — wie

ein Wassertröpfchen ein verdorrtes Rädertierchen —
wieder lebendig und regsam. Der Tau fällt aber nur in
beiden Dämmerungen.

86

Findet ihr den Trost nicht in der Nähe, so erhebt euch
und sucht ihn immer höher. Der Paradiesvogel flieht aus
dem hohen Sturm, der sein Gefieder packt und überwäl-
tigt, bloß höher hinauf, wo keiner ist.

87

Der Dichter gleicht dem Bewohner des heißen Erdgürtels,
dem alle Sterne auf- und untergehen müssen; der Philosoph dem Polarländer, der nur die Sterne s e i n e s Pols
in Parallelenkreisen, aber nie auf- und untergehen sieht.

88

Wie soll man über das Wie der Unsterblichkeit entscheidend schreiben können, da man im Alter einen ordentlichen Ekel und Grimm vor der leeren Belehrung und
Antwort der Philosophen, Theologen und Naturphilo-
sophen bekommt, so daß man sich aus einer Welt voll
lügenhafter Bibliotheken am Ende hinaussehnt.

89

Die vornehmen Römer wie Cäsar und andere Taten-
menschen glaubten und brauchten kein Leben nach dem
Tode, weil sie ihres in das große Leben des Staates ver-
schmelzten und ihr unsterblicher Name im unsterblichen
Reiche ihnen ihr Ich wurde.

90

Was jeden, auch den an das Unsichtbare Ungläubigen
doch ergreifen muß, ist der unermeßliche Verstand, der
durch die organischen Reiche der Erde und durch die
mechanischen geht.

91

Die Geschichte verordnet: „Entweder seht oder weint!"

*Diese Wahl zwischen offnen und nassen Augen habt ihr
nicht mehr, wenn euch die maskierten Lustbälle des Hof-
wesens endlich an die maskierten Batterien haben tanzen
lassen, weil ihr nicht bedachtet, daß alles Bedeckte —
von bedeckten Wegen und Wagen an bis zu heimlichen
Artikeln — dem Kriege zuführt oder angehört.*

*Bekanntlich taten die Reliquien eines Heiligen stets
größere Wunder als vorher der ganze lebendige Mann.
Dasselbe kann ich mir von Staatenreliquien denken. Insofern wird von einem Krieg oft der Eisgang eines Volks
durch Kanonen nicht sowohl angesagt als hervorgebracht.*

*Jesuiten und Freimaurern wurden bisher von Jesuiten-
und Maurer-Riechern — aber bloß wegen der Mysterien
ihrer Orden — nicht ohne einige Bosheit geheime Ein-
flüsse in die Staaten zugeschrieben, jenen mehr böse, diesen mehr gute. Aber die jetzige Zeit voll Treiben und
Sturm ist ihre beste Verteidigung: sie haben darin nichts
getan. (1809)*

*Die Volkstapferkeit der neusten Kriege führt uns die Be-
weise, daß nicht die Menge, sondern die Auswahl, nicht
die Regierten, sondern die Regierenden sündigen.*

*Keine Volksmenge wurde durch sich selber groß oder frei
oder weise, sondern stets durch große, freie, weise Chor-
führer. Stellet die Sonne hin, so gehen die Planeten von
selber.*

*O, wenn Mut und Redlichkeit so enge zusammenhängen,
und wenn jedes Volk die Deutschen bis anno 1809 die*

Redlichen nannte, was wäre nicht von uns und für uns zu tun durch eine Bildungsschule edler Deutschen, welche weiter in die Breite und Tiefe fortbilden?

98

Das Völkerunglück, sagte man bisher, ist der Wecker (ein sehr teurer) des Genies. Aber diese Wecker sollten ja lieber vorher vom Staate gestellt und geweckt sein, um jenes zu verhüten, nicht zu vergüten. Warum will er das, was stärkende Nahrung sein könnte, nur erst als herstellende Arznei gebrauchen, und mit Wein, statt zu begeistern, nur ausheilen? Den benannten teuern Geniuswecker (aus Kanonen, Jammergeschrei, Sterberöcheln und so weiter) sollte man an keiner Staatsuhr anbringen.

99

So ungeheuer weit die Ichsucht die europäische Erde überstrickt, und so kurz die Liebeszeit der Jugend, und so enge die Liebesstätte der Familie ist, und so selten ein liebendes Geniusherz, so reicht doch die wenige Liebe, welche am starren Zeitalter noch wärmt, zum Auftauen und Bewegen desselben hin, und eine kleine Wärme schmilzt aus den Gletschern befruchtende Flüsse, wie etwa in gewissen Gesundbrunnen die warmen Quellen in die einfrierenden Bäche fortfließen und sie zum Treiben der Wogen und Mühlen erwärmen.

100

Jetzt können die Deutschen werden: entweder was sie fürchten oder was sie hoffen. Ich hoffe aber, sie hoffen, nämlich sie glauben; und dann gehe ihnen statt des Regengestirns der Glücksstern auf! Daher ist's Sünde gegen Deutschland, bloße Wunden abzubilden ohne die Wundkräuter dabei.

ZEHN EXTRABLÄTTCHEN
über verschiedene Gegenstände

I

ÜBER GLÜCK UND WERT DER JÜNGLINGE JETZIGER ZEIT
(geschrieben nach den Befreiungskriegen)

*Wer die Jünglingszeit für das Pfingsten des Lebens hält,
wo der heilige Geist der Ideale ausgegossen ist, für das
goldene, obwohl unruhige Alter der Kraft, worin der
Mensch über fremde Großtaten vor Freude und Sehnsucht
weint und nach eignen brennt und er noch die Verbesserung
der Welt glaubt und versucht, wo er die Wunder nicht
leugnet und erklärt, sondern begehrt, und das Große,
welches der sogenannte gereifte, oft schon tief herab-
gebrannte Mann beleuchten und bloß verschatten will, zu
vergrößern und durch erhabne Gläser zu sehen wünscht;
wer nun für diese unwiederbringliche Zeit ein Herz und
Auge übrig behalten im Alter: der wird die Jünglinge
unserer Tage beneiden, welche mit der Frische ihres Lebens
gerade in dem größten deutschen Jahrzehend, im jetzigen,
grünen und blühen dürfen. Uns Männern wurde eine
engere Zeit beschieden, obgleich auch im vorigen Jahrhundert einige kraftvolle Jahrzehende sich aufgetan.
Wenn manche Alte ihren Kriegsvorspann von Gefühlen
für den augenblicklichen Rettungsbedarf der Zeit schon*

wieder heimgetrieben und in dem alten Geleise von Ge-
schäften und Gefühlen nun unerschüttert schlafend weiter-
fahren, so stellt sich uns ein großer Teil der Jünglinge auf
Hochschulen und der jungen Männer in Schriften mit einer
Begeisterung für Recht, Vaterland, Religion und alte Sit-
ten dar, welche wir in diesem aufrichtigsten und offen-
herzigsten Alter des Lebens für wahrhaft halten dürfen.

Aber wahrlich, dann ist jetzo der Lehrstuhl auf Hoch-
schulen eine heilige Höhe, welche der Nachwelt durch
kleine Quellen Ströme geben kann und von welcher, wie
von den Alpen, ein fallendes Steinchen die Gewalt eines
Felsen erhält. Denn vor so verschiedenen Lehrern auf ein-
mal — den Lehrern der Religion, des Rechts, der Philo-
sophie, der Dichtkunst, der Geschichte — stehen die jungen,
für Gott und Deutschland glühenden Herzen aufgetan, in
welche jeder Lehrer so viel Feuer gießen kann, als seiner
Wissenschaft einwohnt. Revolutionen wurzeln in der
Adamserde der Jünglinge am tiefsten und treiben, oft
lange bedeckt, unter dem Boden weiter. Ein einzelner
Jüngling kann wegblühen ohne Frucht; aber eine ganze
junge Welt in Blüte setzt Früchte an und kann nicht er-
frieren. Wenn nun auch für diese Frühlingswelt noch die
Lehrer treibende Sonnen würden, wenn sie recht vorhiel-
ten, wie die jetzige Aurora Deutschlands — zu ähnlich
der mythischen, deren Entführung man den Tod schöner
Jünglinge zuschrieb — uns einen Teil der begeisterten Ju-
gend gekostet, und wie daher der andere, den sie uns
übrig gelassen und der die Lorbeerkränze und Ährenkränze
kränze der Toten geerbt, die gefallenen Waffenbrüder und
Mitbrüder des Herzens zu ersetzen habe und zu belohnen
durch Begeisterung und Aufopferung im Frieden; wenn
sie die später nachgeblühte Jugend, welche über ihr Aus-
schließen von den heiligen Kämpfen trauert, zu den
schwerern und längern im Frieden begeisterten; wenn

*Schriftsteller und Lehrer in diese offne warme Zeit alt-
deutsche Aussaat mit einem Eifer würfen, als habe diese
einem neuen Deutschmörder entgegenzuwachsen: würden
dann, wenn dieses und anderes geschähe, noch höhere Re-
formationsfeste gefeiert als man entwirft?*

2

ÜBER DEN TROST

Es kann, das heißt es muß noch eine Zeit kommen, wo
es die Moral befiehlt, nicht bloß andere ungequält zu lassen, sondern auch sich; es muß eine Zeit kommen, wo der
Mensch schon **a u f d e r E r d e** die meisten Tränen ab-
wischt, und wär' es nur aus Stolz! —
Die Natur reißet zwar mit solcher Eile Tränen aus den
Augen und Seufzer aus der Brust, daß der Weise nie den
Trauerflor vom Körper ganz abheben kann; aber seine
S e e l e trage keinen! Denn ist es einmal Pflicht oder Verdienst, das kleinste Leiden heiter zu übernehmen: so muß
auch das Verschmerzen des größten noch Verdienst sein,
nur ein größeres, so wie derselbe Grund, der die Ver-
gebung kleiner Beleidigungen gebietet, auch für das Verzeihen der größten gilt.
Das erste, was wir am Schmerze — wie am Zorn — zu
bekämpfen oder zu verschmähen haben, ist seine giftige
lähmende Süßigkeit, die wir so ungern mit der Arbeit des
Tröstens und der Vernunft vertauschen und vertreiben.

Wir müssen nicht begehren, daß die Philosophie mit
einem Federzuge die umgekehrte Verwandlung von Ru-
bens nachtue, der mit einem Striche ein lachendes Kind in
ein weinendes umzeichnete. Es ist genug, wenn sie die
ganze Trauer der Seele in Halbtrauer verwandelt; es ist
genug, wenn ich zu mir sagen kann: Ich will gern den
Schmerz tragen, den mir die Philosophie noch übriggelas-

sen; ohne sie wär' er größer und der Mückenstich ein Wespenstich.

Sogar der körperliche Schmerz schlägt seine Funken bloß aus dem elektrischen Kondensator der Phantasie auf uns. Die heftigsten Stiche erlitten wir ruhig, wenn sie eine Tertie lang währten; aber wir stehen ja eben nie eine Schmerzensstunde aus, sondern nur zusammengereihete Schmerzentertien, deren sechzig Strahlen bloß die Phantasie in den heißen Stich- und Brennpunkt einer Sekunde fasset und auf unsere Nerven richtet. Das Peinlichste am körperlichen Schmerze ist das — Unkörperliche, nämlich unsere Ungeduld und unsere Täuschung, daß er immer währe.

Wir wissen alle gewiß, daß wir uns über manchen Verlust in zwanzig, zehn, zwei Jahren nicht mehr betrüben; warum sagen wir nicht zu uns: So will ich denn eine Meinung, die ich in zwanzig Jahren verlasse, lieber gleich heute wegwerfen; warum will ich erst zwanzigjährige Irrtümer abdanken, und nicht zwanzigstündige?

Wenn ich aus einem Traum, der mir ein Otaheite auf den schwarzen Grund der Nacht hinmalte, wieder erwache und das blumige Land zerflossen erblicke: so seufz' ich kaum und denke, es war nur geträumt. Wie, und wenn ich diese blühende Insel wirklich im Wachen besessen hätte, und wenn sie durch ein Erdbeben eingesunken wäre, warum sag' ich nicht da: Die Insel war nur ein Traum? Warum bin ich untröstlicher bei dem Verlust eines längern Traums, als bei dem Verlust eines kürzern (denn das ist der Unterschied), und warum findet der Mensch eine große Einbuße weniger notwendig und wahrscheinlich als eine kleine?

Die Ursache ist: jede Empfindung und jeder Affekt ist wahnsinnig und fordert oder baut seine eigene Welt. Der Mensch kann sich ärgern: daß es schon oder erst zwölf Uhr schlägt. — Welcher Unsinn! Der Affekt will

nicht nur seine eigene Welt, sein eignes Ich, auch seine
eigne Zeit. — Ich bitte jeden, einmal innerlich seine
Affekten ganz ausreden zu lassen und sie abzuhören
und auszufragen, was sie denn eigentlich wollen; er wird
über das Ungeheuere ihrer bisher nur halb gestammelten
Wünsche erschrecken. Der Zorn wünschet dem Menschen-
geschlecht einen einzigen Hals, die Liebe ein einziges
Herz, die Trauer zwei Tränendrüsen und der Stolz zwei
gebogne Knie! —
Wenn ich in Widmanns „Höfer Chronik" die ängstlichen
blutigen Zeiten des Dreißigjährigen Krieges durchlas,
gleichsam durchlebte — wenn ich das Hilferufen der
Geängstigten wieder hörte, die in den Donaustrudeln
ihrer Zeit arbeiteten, und das Zusammenschlagen der
Hände und das wahnsinnige Herumirren auf den zer-
streueten mürben Brückenpfeilern wieder sah, gegen wel-
che schäumende Wogen und reißende Eisfelder anschlu-
gen — und wenn ich dann dachte: alle Wogen sind zer-
flossen, das Eis zerschmolzen, das Getümmel ist ver-
stummt und die Menschen auch mit ihren Seufzern: so er-
füllte mich ein eigener wehmütiger Trost für alle Zeiten,
und ich fragte: War und ist denn dieser flüchtige Jammer
unter dem Gottesackertore des Lebens, den drei Schritte
in der nächsten Höhle beschließen, der feigen Trauer
wert? — Wahrlich, wenn es erst, wie ich glaube, unter
einem ewigen Schmerze wahre Standhaftigkeit gibt, so ist
ja die im fliehenden kaum eine.
Eine große, aber unverschuldete Landplage sollte uns
nicht, wie die Theologen wollen, demütig machen, son-
dern stolz. Wenn das lange schwere Schwert des Kriegs
auf die Menschheit niedersinkt, und wenn tausend bleiche
Herzen zerspalten bluten — oder wenn im blauen reinen
Abend am Himmel die rauchende heiße Wolke einer auf
den Scheiterhaufen geworfnen Stadt finster hängt, gleich-
sam die Aschenwolke von tausend eingeäscherten Herzen

*und Freuden: so erhebe sich stolz dein Geist und ihn ekle
die Träne und das, wofür sie fällt, und er sage: Du bist viel
zu klein, gemeines Leben, für die Trostlosigkeit eines Unsterblichen, zerissenes unförmliches Pausch- und Bogen-
leben — auf dieser aus tausendjähriger Asche geründeten
Kugel, unter diesen Erdengewittern aus Nebel, in dieser
Wehklage eines Traums ist es eine Schande, daß der
Seufzer nur mit seiner Brust zerstiebt, und nicht eher,
und die Zähre nur mit ihrem Auge. —*

*Aber dann mildere sich dein erhabener Unmut und lege
dir die Frage vor: Wenn nun der verhüllte Unendliche,
den glänzende Abgründe und keine Schranken umgeben
und der erst die Schranken erschafft, die Unermeßlich-
keit vor deinen Augen öffnete und dir sich zeigte, wie er
austeilt die Sonnen — die hohen Geister — die kleinen
Menschenherzen — und unsere Tage und einige Tränen
darin: würdest du dich aufrichten aus deinem Staube
gegen ihn und sagen: Allmächtiger, ändere dich!? —*

*Aber ein Schmerz wird dir verziehen oder vergolten: es
ist der um deine Gestorbnen. Denn dieser süße Schmerz
um die Verlornen ist doch nur ein anderer Trost. Wenn
wir uns nach ihnen sehnen, ist es nur eine wehmütigere
Weise, sie fortzulieben, und wenn wir an ihr Scheiden
denken, so vergießen wir ja so gut Tränen, als wenn wir
uns ihr frohes Wiedersehen malen, und die Tränen sind
wohl nicht verschieden.*

3

ÜBER RELIGION

*Was ist Religion? — Sprecht die Antwort betend aus:
der Glaube an Gott. Denn sie ist nicht nur der Sinn für
das Überirdische und das Heilige und der Glaube ans Unsichtbare, sondern die Ahnung Dessen, ohne welchen kein
Reich des Unfaßlichen und Überirdischen, kurz kein
z w e i t e s All nur denkbar wäre. Tilgt Gott aus der*

Brust, so ist alles, was über und hinter der Erde liegt, nur eine wiederholende Vergrößerung derselben; das Überirdische wäre nur eine höhere Zahlenstufe des Mechanismus und folglich ein Irdisches.

Wenn die Frage geschieht: „Was meinst du mit dem Laute G o t t ?" so laß' ich einen alten Deutschen, Sebastian Frank, antworten: „Gott ist ein unaussprechlicher Seufzer, im Grunde der Seelen gelegen." Ein schönes, tiefes Wort! — Da aber das Unaussprechliche in jeder Seele wohnt, so ist es auch jeder fremden zu bedeuten durch Worte. Lasset mich irgendeinem gottesfürchtigen Gemüte alter Zeiten Worte unserer Tage geben und höret es an über Religion:

Religion ist anfangs Gottlehre (daher der hohe Name Gottesgelehrter), recht ist sie Gottseligkeit. Ohne Gott ist das Ich einsam durch die Ewigkeiten hindurch; hat es aber seinen Gott, so ist es wärmer, inniger, fester vereinigt als durch Freundschaft und Liebe. Ich bin dann nicht mehr mit meinem Ich allein. Sein Urfreund, der Unendliche, den es erkennt, der eingeborne Blutsfreund des Innersten, verläßt es so wenig als das Ich sich selber, und mitten im unreinen oder leeren Gewühl der Kleinigkeiten und der Sünden, auf Marktplatz und Schlachtfeld steh' ich mit zugeschlossner Brust, worin der Allerhöchste und Allheiligste mit mir spricht und vor mir als nahe Sonne ruht, hinter welcher die Außenwelt im Dunkel liegt. Ich bin in seine Kirche, in das Weltgebäude gegangen und bleibe darin selig-andächtig fromm, werde auch der Tempel dunkel oder kalt oder von Gräbern untergraben. Was ich tue oder leide, ist kein Opfer für ihn, so wenig, als ich mir selber eines bringen kann; ich liebe ihn bloß, ich mag entweder leiden oder nicht. Vom Himmel fällt die Flamme auf den Opferaltar und verzehrt das Tier; aber die Flamme und der Priester bleiben. Wenn mein Urfreund etwas von mir verlangt, so glänzt mir

*Himmel und Erde und ich bin selig wie er; wenn er ver-
weigert, so ist Sturm auf dem Meer; aber es ist mit Regenbogen überdeckt, und ich kenne wohl die gute Sonne
darüber, welche keine Wetter-, nur lauter Sonnenseiten
hat. Nur bösen, lieblosen Geistern gebietet ein Sittenge-
setz, damit sie nur erst besser werden und darauf gut.
Aber das liebevolle Anschauen des Urfreundes der Seele,
der jenes Gesetz erst beseelt und unüberschwänglich macht,
verbannt nicht bloß den bösen Gedanken, der siegt, sondern auch den andern, der nur versucht. Wie doch über
dem höchsten Gebirge noch hoch der Adler schwebt, so
über der schwer ersteigbaren Pflicht die rechte Liebe.*

*Wo Religion ist, werden Menschen geliebt und Tiere und
alles All. Jedes Leben ist ja ein beweglicher Tempel des
Unendlichen. Alles Irdische selber verklärt und sonnt sich
in dem Gedanken an ihn; nur e i n Irdisches bleibt finster
übrig, die Sünde, das wahre Seelen-Nichts, oder der unaufhörliche Tantalus, der Satan.*

*Man darf mit einigem Recht zu andern von d e m spre-
chen, wovon man in und mit sich gar nicht spricht; denn
in mir ist er mir so nahe, daß ich s e i n und m e i n Wort
schwer trennen kann; aber am zweiten Ich bricht sich mei-
nes zurück und ich finde nur J e n e n widerglänzend wieder, der mich und den Tautropfen erleuchtet.*

*Sobald es aber kein Irrtum ist, dies alles zu denken: wie
wirst Du, o Gott, denen, die das vieltönige Leben über-
wanden, erst in der eintönigen stummen Stunde des Sterbens erschienen sein, da, wo Welt nach Welt, Mensch
nach Mensch hinschwand und nichts blieb neben dem
Sterblich-Unsterblichen als das Ewige? — Wer Gott in
die letzte dunkelste Nacht hineinbringt, kann nicht erfahren was Sterben ist, weil er auf den ewigen Stern im
Abgrund blickt. —*

*Glaubt ihr nicht, daß Religion die Poesie der Moral, der
hohe Stil des Lebens, nämlich der höchste sei, so denkt*

weniger an die mystischen Schwärmer, welche als Verächter der Glückseligkeitslehre gern verdammt sein wollten, sobald ihnen nur die Liebe Gottes bliebe, als an Fénélon; könnt ihr reiner, fester, reicher, opfernder sein oder seliger als er, ein Kind, Weib, Mann und Engel zugleich?

4

ÜBER TIERLIEBE UND LEBENSACHTUNG

Einst, als der Mensch noch neuer und frischer lebte in der vollen Welt, worin eine Quelle in die andere quillt, da erkannte er noch ein allgemeines Leben der Gottheit an, gleichsam einen unendlichen Lebensbaum, der niedriges Gewürm wie Wurzeln in Meer und Erde senkt, mit einem Stamm aus ungeheuren kräftigen Tieren feststeht und in die Lüfte mit Zweigen voll flatternder Blätter emporgeht und endlich Menschen als zarte Blüten dem Himmel aufschließt. Da war jener dumme Menschen-Egoismus, der sich von Gott alle Tierreiche und alle bevölkerte Meere und Wüsten mit allen ihren mannigfachen Lebensfreuden bloß als Zins- und Deputatstiere, Martinsgänse und Rauchhennen seines Magens liefern läßt, noch nicht geboren; die Erde, das Kepler'sche Tier, war noch nicht des kleinen Menschen eisernes Vieh und Bileamsesel. Sondern die alte untergesunkene Welt — wovon noch einige Spitzen in Ostindien vorragen — findend mehr Leben und Gottheit in der mit Wurzeln angeketteten Blume als wir jetzo im freifliegenden Tiere, betete eben in den tierischen Arabesken, in den lebendig umhergehenden Zerrbildern oder Zerrleibern der Menschengestalt den unendlichen Raffael an, der den Menschen vollendete. Die uns zurückstoßende Widerform des Tiers zeigte ihnen den seltsamen Isisschleier oder die Mosisdecke einer Gottheit. Daher das niedrige, aber wunderbare Tier viel früher angebetet wurde als der Mensch, so wie Ägypten Menschen-

leiber mit Tierköpfen krönte. — Je jünger, einfacher und
frömmer die Völker, desto mehr Tierliebe. — In Surate
ist ein Krankenhaus für Tiere. — Ninive wurde mit der
Zerstörung aus einer Ursache verschont, weswegen ein
Kriegsheld sie eingenommen hätte: der Tiermenge wegen.
— Mit langem Leben wurde der Juden Mitleiden gegen
die Tiere belohnt. — Selber das Bestrafen derselben, wenn
sie ein Verbrechen mit Menschen geteilt hatten, und die
Bannstrahlen gegen sie und die Erwägung der tierischen
Absicht bei der Strafe zeigen die frühere Achtung für diese
Achtels- und Aftermenschen an. — Und die indische An-
betung, sogar des Blumenlebens, ging nach Griechenland
über als Belebung durch Hamadryaden und durch an-
dere Götter, und nach dem Norden als Bestrafung der
Baumschänder . . .

Der sogenannte Instinkt der Tiere, diese Eselin, die den
Engel früher sieht als der Prophet, sollte als das größte
Wunder der Schöpfung und wieder als der Schlüssel und
Inhalt aller andern Wunder angesehen werden, insofern
das Welträtsel gewissen Rätseln gleicht, welche das Rätsel
selber beschreiben und meinen . . . .

Zieht nur vor dem Kinde jedes Leben ins Menschenreich
herein, so entdeckt ihm das größere das kleinere. Belebt
und beseelt alles und sogar die Lilie, die es unnütz aus
dem organischen Dasein ausreißt, malt ihm als die Toch-
ter einer schlanken Mutter vor, die im Beete steht und
das kleine weiße Kind mit Saft und Tau aufzieht! Denn
nicht auf leere lose Mitleidsübung, auf eine Impfschule
fremder Schmerzen ist's abgesehen, sondern auf eine Reli-
gionsübung der Heilighaltung des Lebens, des allwalten-
den Gottes im Baumwipfel und im Menschengehirn. Tier-
liebe hat wie die Mutterliebe noch den Vorzug, daß sie
für keinen Vorteil der Erwiderung und noch weniger des
Eigennutzes entsteht, und zweitens, daß sie jede Minute
einen Gegenstand und eine Übungsminute findet.

O, es werden, es müssen schon Zeiten kommen, wo die tierfreundlichen Braminen auch den Norden warm bewohnen; wo das Herz, nachdem es die rauhesten Sünden abgetan, auch leise giftige ausstößt; wo der Mensch, der jetzo die vielgestaltige Vergangenheit der Menschheit ehrt, auch anfängt, in der Gegenwart die belebte ab- und aufsteigende Tierwelt zu schonen und (später) zu pflegen, um einst dem Urgenius den häßlichen Anblick des zwar dickdunkeln, aber weitesten Tierschmerzens nicht mehr zu geben. Und warum müssen solche Zeiten kommen? Darum, weil schlechtere gegangen sind: die Nationalschulden der Menschheit (meistens Blutschulden) trägt die Zeit ab, das Standrecht ist nun ein Standunrecht, der Negerhandel allmählich verbotene Ware; nur der herbste, zäheste Barbarismus der Vorzeit, der Krieg, bleibt noch dem uns angebornen Antibarbarus zuletzt zu überwinden übrig.

5

DIE DREI WEGE

Ich konnte nie mehr als drei Wege, glücklicher (nicht glücklich) zu werden, auskundschaften.

Der erste, der in die Höhe geht, ist: so weit über das Gewölke des Lebens hinauszudringen, daß man die ganze äußere Welt mit ihren Wolfgruben, Beinhäusern und Gewitterableitern von weitem unter seinen Füßen nur wie ein eingeschrumpftes Kindergärtchen liegen sieht.

Der zweite ist: geradezu herabzufallen ins Gärtchen und da sich so einheimisch in eine Furche einzunisten, daß, wenn man aus seinem warmen Lerchenneste heraussieht, man ebenfalls keine Wolfgruben, Beinhäuser und Stangen, sondern nur Ähren erblickt, deren jede für den Nestvogel ein Baum und ein Sonnen- und Regenschirm ist.

Der dritte endlich — den ich für den schwersten und klügsten halte — ist der: mit den beiden andern zu wechseln.

Das will ich jetzt den Menschen recht gut erklären. Der Held, der Reformator, Brutus, Howard, der Republikaner, den bürgerliche Stürme, das Genie, das künstlerische bewegen, — kurz jeder Mensch mit einem großen Entschluß oder auch nur mit einer perennierenden Leidenschaft (und wär' es die, den größten Folianten zu schreiben), alle diese bauen sich mit ihrer innern Welt gegen die Kälte und Glut der äußern ein, wie der Wahnsinnige im schlimmern Sinn: jede f i x e Idee, die jedes Genie und jeden Enthusiasten wenigstens periodisch regiert, scheidet den Menschen erhaben von Tisch und Bett der Erde, von ihren Hundsgrotten und Stechdornen und Teufelsmauern — — gleich dem Paradiesvogel schläft er fliegend, und auf den ausgebreiteten Flügeln verschlummert er blind in seiner Höhe die untern Erdstöße und Brandungen des Lebens im langen schönen Traume von seinem idealischen Mutterland. . . . Ach! Wenigen ist dieser Traum beschert und diese wenigen werden so oft von fliegenden Hunden geweckt! —

Diese Himmelfahrt ist aber nur für den geflügelten Teil des Menschengeschlechts; für den kleinsten. Was kann sie die armen Kanzleiverwandten angehen, deren Seele oft nicht einmal Flügeldecken hat, geschweige etwas darunter — oder die gebundnen Menschen mit den besten Bauch-, Rücken- und Ohrenstoßfedern, die im Fischkasten des Staates stille stehen und nicht schwimmen sollen, weil schon der ans Ufer lang gekettete Kasten oder Staat im Namen der Fische schwimmt? Was soll ich dem stehenden und schreibenden Heere beladener Staats-Hausknechte, Kornschreiber, Kanzlisten aller Departements und allen im Krebskober der Staatsschreibstube auf einander gesetzten Krebsen, die zur Labung mit einigen Brennesseln überlegt sind, was soll ich solchen für einen Weg, h i e r selig zu werden, zeigen? —

Bloß meinen zweiten. Und das ist der: ein zusammenge-

setztes Mikroskop zu nehmen und damit zu ersehen, daß ihr Tropfe Burgunder eigentlich ein Rotes Meer, der Schmetterlingsstaub Pfauengefieder, der Schimmel ein blühendes Feld und der Sand ein Juwelenhaufe ist. Diese mikroskopischen Belustigungen sind dauerhafter als alle teuern Brunnenbelustigungen.

Ich muß aber diese Metaphern erklären durch neue. Die Absicht, warum ich „F i x l e i n s Leben" in die Lübecksche Buchhandlung geschickt, ist eben, in d i e s e m Leben der ganzen Welt zu entdecken, daß man kleine sinnliche Freuden höher achten müsse als große, den Schlafrock höher als den Bratenrock, daß man einen Napoleon d'or dem Notpfennig nachstehen lassen müsse, und daß uns nicht große, sondern nur kleine Glückszufälle beglücken. — Gelingt mir das, so erzieh' ich durch mein Buch der Nachwelt Männer, die sich an allem erquicken, an der Wärme ihrer Stuben und ihrer Schlafmützen — an ihrem Kopfkissen — an den heiligen drei Festen — an bloßen Aposteltagen — an den abendlichen moralischen Erzählungen ihrer Weiber (wenn sie nachmittags als Ambassadricen einen Besuch auf irgendeinem Witwensitz, wohin der Mann nicht zu bringen war, gemacht hatten) — am Aderlaßtage dieser ihrer Novellistinnen — an dem Tage, wo eingeschlachtet, eingemacht, eingepökelt wird gegen den grimmigen Winter, und so fort. Man sieht, ich dringe darauf, daß der Mensch ein Schneidervogel werde, der nicht zwischen den schlagenden Ästen des brausenden, von Stürmen hin und her gebognen unermeßlichen Lebensbaumes, sondern auf eines seiner Blätter sich ein Nest aufnähet und sich darin warm macht. Die nötigste Predigt, die man unserem Jahrhundert halten kann, ist die: „Zu Hause bleiben!"

Der dritte Himmelsweg ist der Wechsel mit dem ersten und zweiten. Der vorige z w e i t e ist nicht gut für den Menschen, der hier auf der Erde nicht bloß den Obstbrecher, sondern auch die Pflugschar in die Hände nehmen soll. Der e r s t e ist zu gut für ihn. Er hat nicht immer die Kraft, wie der Maler Rugendas mitten in einer Schlacht nichts zu machen als Schlachtstücke, und wie Bakhuisen im Schiffbruche kein Brett zu ergreifen als ein Zeichenbrett, um ihn zu malen. Und dann halten seine S c h m e r z e n so lange an als seine E r m a t t u n g e n. Noch öfter fehlet der Spielraum der Kraft: nur der kleinste Teil des Lebens gibt einer arbeitenden Seele Alpen, Revolutionen, Rheinfälle, Wormser Reichstage und Kriege mit Xerxes und es ist so für's Ganze auch besser; der längere Teil des Lebens ist ein wie eine Tenne platt geschlagener Anger ohne erhabene Gotthardsberge, oft ein langweiliges Eisfeld ohne einen einzigen Gletscher voll Morgenrot.

Eben aber durch Gehen ruhet und holet der Mensch zum Steigen aus, durch kleine Freuden und Pflichten zu großen. Der siegende Diktator muß das Schlacht-Märzfeld zu einem Flachs- und Rübenfeld umzuackern, das Kriegstheater zu einem Haustheater umzustellen wissen, worauf seine Kinder einige gute Stücke aus dem „Kinderfreund" aufführen. Kann er das, kann er so schön aus dem Wege des genialischen Glücks in den des häuslichen einbeugen: so ist er wenig verschieden von mir selber, der ich jetzt — wiewohl mir die Bescheidenheit verbieten sollte, es merken zu lassen — der ich jetzt, sag' ich, mitten unter der Schöpfung dieses Billets doch imstande war, daran zu denken, daß, wenn es fertig ist, die gebacknen Rosen und Hollundertrauben auch fertig werden, die man für den Verfasser dieses in Butter siedet.

6

ÜBER DIE MENSCHLICHE EINSAMKEIT

Die Menschen sind einsam.

Wie Tote stehen sie nebeneinander auf einem Kirchhofe, jeder allein, ganz kalt, mit geballter Hand, die sich

nicht öffnet und ausstreckt, um eine fremde zu nehmen.
Nicht einmal ihr Körper hält das warme Sehnen nach
Liebe aus, aber den Haß wohl; an jenem zerfällt er. Sie
sind Pflanzen aus einem kalten Klima, die den größten
Frost, aber keine Hitze ausdauern.

Wie? Glaubt ihr, ich meine die Millionen dumpfe, nied-
rige, hungrige Menschen, die gern in ihre Gräber zurück-
kriechen, ohne den Besitz nicht nur, auch ohne den Wunsch
der Freundschaft und Liebe? — Ich meine sie nicht. In
ihrer niedrigen, dem Kote gleichlaufenden Richtung kön-
nen sie keine Seele zu sich ziehen. Nur Menschen, die sich
gegen den Himmel richten, werden gleich den Eisenstan-
gen magnetisch. Diese mein' ich. Ach, daß gerade die Bes-
sern am wenigsten lieben, daß es ihnen so schwer wird zu
finden, noch schwerer zu behalten, daß sie ein Jahrzehnt
brauchen, um einen Bund zu schließen, und eine Minute,
um ihn zu brechen!

Und dann veraltet der entblößte Mensch ohne sein
zweites Herz. Die Jahre setzen um sein bestes Herzblut,
wie um alten Wein, eine steinerne Rinde an, er heilet den
liebenden Wahnsinn seines Kopfes und das verzehrende
Fieber seiner Brust mit Eisstücken, wie die Ärzte Kopf
und Brust mit aufgelegtem Eise herstellen, und wenn er
in die andre Welt tritt, so muß er fragen: „Ewiger, warum
gabst du mir ein glühendes Herz in die Erde mit? Ich
bringe es totenkalt zurück, es hat niemand geliebt."

Ach, wenn diese Erde ein Gängelwagen für unsre ersten
Schritte sein soll, so ist der Ring desselben, auf dem wir
mit der Brust aufliegen, nicht weich genug gepolstert und
schneidet zu tief ein.

Doch so unglücklich sind wir nicht alle, und wer mich
hier mit Schmerzen lieset — anstatt mit bloßer Sehnsucht
— der w a r wenigstens glücklich.

Aber lasset uns jetzt in diesem russischen Eispalast der
Erde, worin Statuen und Öfen von Eis sind, einander die

Hände geben und uns vornehmen, noch öfter zu vergeben,
als wir tun, noch öfter daran zu denken, daß wir ja aus
so vielen tausend, tausend Herzen nur einige verarmt
an unserm halten, — daß unsre Jahre so kurz und schnell
verstäuben, aus denen wir zur Liebe nichts ausheben als
noch schnellere Minuten, — daß unsre ersten zehn Jahre,
und vielleicht unsre letzten zehn, ohnehin dem verwitter-
ten Herzen die Liebe nehmen, — und wieviel wir schon
vergessen haben, wie manche glühende Stunde, wieviele
heiße Versicherungen, und wie noch mehr wir schon ver-
loren haben!

Und wenn uns das nicht bessert, so lasset uns auf die
Gräber unsrer vorigen Freunde treten und ohne Scham-
röte sagen: „Wir lieben sie, indes wir die Lebenden ver-
gessen!" Ach, auf jenen Hügeln lernt der Mensch Freund-
schaft so gut wie Größe.

7

GEGEN VORWÜRFE UND TADEL

Wann vernehmen die Menschen von einander meistens
die Vorwürfe? In der schlimmsten Tageszeit, nämlich
abends. Möge hierin die aufmerksamere Menschenliebe,
wenn nicht die Außerhäuslichen, die Klub- und Gast-
menschen, wenigstens die Einheimischen, Kinder und Gat-
ten, schonend ausnehmen und ihnen nicht den Tadel
wie ein Abführmittel abends geben, da er wie dieses
Schlaf und Traum angreift und in der Finsternis unauf-
gehalten um sich frißt. Warum soll er von der Nacht als
ein Abendnebel verdoppelt werden, indes ihn als einen
Morgennebel die Lichter des Tags gemildert hätten? —
Warum soll ich nicht, da von Milderungen des Sprechens
die Rede ist, noch von zwei Schärfungen desselben ab-
mahnen? Die erste ist, daß Gatten zuweilen eben neuge-
bornen großen Vorwürfen lang getragne kleine — um

deren willen man früher die Taufkosten nicht aufwenden
wollen — als Nachgeburten oder Zwillinge mitgeben. Die-
ses Hereinziehen der Vergangenheit in die Gegenwart,
dieses Nachschüren des Balkens mit aufgehobenen Split-
tern erbittert unsäglich durch den Schein, als habe man die
kleinen Fehler, ob man sie gleich bisher in milder Liebe
gern ertragen und kaum gefühlt, absichtlich für diese Zorn-
minute im Essig des Hasses eingesäuert und aufbewahrt.
Auch werden sie in dieser wirklich nicht mehr als ver-
zeihliche erwogen, sondern zum ganzen Sündenkapital
vergrößernd geschlagen — und dann helfe der Himmel
zu einem gütlichen Vergleich!

Eine verwandte Schärfung ist die Übereilung der El-
tern, Kindern einen eben begangnen Fehler nicht als einen
einzigen, sondern als ein Glied eines langen Bandwurms
vorzuhalten und die schon gebüßten Sünden in jeder
neuen wieder abzustrafen. Dem Kinde aber sind alle
Fälle und Fehler nur vereinzelte, bandlose, augenblick-
liche, und ihm erblaßt neben der feurigen Gegenwart die
kalte Vergangenheit. Daher hat es (wie sogar oft der Er-
wachsene) von seinen Angewöhnungen gar keinen rechten
Begriff, weil zu diesem ein lebhafter der Vergangenheit
gehört.

Aber die Menschen sind wie d u r ch Tadeln schwer abzu-
halten, so noch schwerer v o m Tadeln. Das tätige tut
ihnen so wohl durch die Leichtigkeit der Anstrengung und
die Unerschöpflichkeit des Stoffs — fast im doppelten
Gegensatze des Lobens. Dabei überfällt sie unter der
Länge eines Tadels oft ein eigner Drang, ihm noch neue
Schärfe zu geben, als ob nicht die Länge schon eine für
den Hörer wäre. Aber unter dem Strafen wächst die
Straflust, und die vom Feuer abgeschoßne Kugel erhitzt
sich von selber durch den Flug unterwegs. Himmel, warum
denkt denn niemand daran, daß sich der leiseste Tadel im
fremden Ohre zu Schreitönen verdoppelt, nicht etwa

durch die Parteilichkeit des Getadelten gegen sich selber,
sondern durch die Verschiedenheit zwischen Ich und Du,
welche ja verhindert, daß ein Ich einem Du nicht einmal
die Zuneigung nachempfinden kann, welche es von diesem
empfängt, geschweige die Abneigung.

8

LEIDEN UND FREUDEN

Da wir ein matteres Gedächtnis für Größe und Zahl
der Leiden haben, als für Freuden: so vergessen wir mit
ihnen leicht auch, welche Früchte uns ihre Stechpalmen
getragen. Aber diese Früchte sind vielleicht unserm Kopfe
noch unentbehrlicher als unserem Herzen. Um alles zu
lieben, die Menschen und das Große bis zum Kleinen hin-
unter, langt ein frohes Dasein schon zu; aber um alles zu
sehen, die Menschen, das Leben und noch mehr s i c h ,
dazu gehört Schmerz.

Das geistige Auge wird durch das körperliche vorgebil-
det, das die Tränenwege täglich befeuchten müssen, damit
die Tränen ihm Beweglichkeit geben, die Lichtstärke mil-
dern und aus ihm fremdartige und feindselige Körper
sanft forttreiben. Wir bemerken es nicht, daß wir eigent-
lich den ganzen Tag weinen — ich rede vom körperlichen
Auge.

Aber doch unterscheidet die Leiden! Die einer schönen
Seele sind M a i f r ö s t e , welche der wärmern Jahrzeit
vorangehen; aber die Leiden einer harten, verdorbenen
sind H e r b s t f r ö s t e , welche nichts verkündigen als
den Winter.

Jede schwere Leidenslast erscheint uns als eine Nieder-
drückung und Versenkung auf immer, als ein angehan-
gener Grabstein, welcher den Verurteilten in die Tiefe
ziehen soll; aber vergessen wir denn, daß die Lasten so
oft nur Steine gewesen, die man Tauchern anhängt, damit

sie hinabkommen zum Auffischen der Perlen, und dann bereichert aufgezogen werden?

Die Freude fliegt als ein so schönfarbiger, schmeichelnder, nichts verletzender Goldfalter um uns; nur legt und läßt er so oft Eier zu gefräßigen Raupen zurück, welche viel und lange verzehren, bis sie sich wieder entpuppen zu leichten Goldfaltern.

Der Geist allein erschafft die Zeit; nun wohl, so miß deinen kürzesten Tag der Freude mit einer Tertienuhr, und deine längste Nacht des Trübsinns mit einer Achttaguhr.

Großen Seelen ziehen die Schmerzen nach, wie den Bergen die Gewitter; aber an ihnen brechen sich auch die Wetter und sie werden die Wetterscheide der Ebene unter ihnen.

Wir verwundern uns nie über den Sonnenaufgang einer Freude, sondern über den Sonnenuntergang derselben. Hingegen bei den Schmerzen erstaunen wir über den Hyadenaufgang, aber den Untergang des Regengestirns finden wir natürlich. Himmel, was hat unser Herz für eine seltsame Astronomie gelernt!

Es gibt noch süßere Freudentränen als die im Wachen — es sind die im Traume.

Daß die Menschen sich, ohne zu erröten, über das Wetter beklagen und ärgern, ist ein Beweis, wie die Empfindung die hellste Einsicht überstimmt. Da jeder Nebelhimmel das Gebäude von Erde, Mond und Sonne ist, und so unabänderlich entsteht als die Nebelflecken des Sternhimmels: so ist es ebensoviel Unsinn, wenn wir uns über unsere matte, bewölkte Sonne ärgern, als wenn wir über den noch mattern Sonnenschein der zahllosen Milchstraßen-Sonnen klagten. In beiden Fällen wollen wir, daß sich die Welten nach uns — nicht wir uns nach ihnen — richten, und der Meteorstein soll auf seiner langen Reise nach der Erde stets durch ein Abbeugen einige Schritte

von unserem Scheitel anlanden; und wir zanken und
tadeln, wenn es nicht geschieht, indes bloß wir freie und
voraussichtige Wesen zu tadeln sind, daß wir die gezwun-
gene äußere Natur nicht genug berechnen, oder auch hart-
näckig mehr unsern Wünschen nachtraben als den fremden Himmelszeichen folgen. Räumen wir nun uns eine
solche Ungeduld über Wetterübel ein, also eine über das
ganze, ineinander verkettete Erdsystem: so läßt sich
schließen, wie wir uns vollends in die geistige Hitze und
Kälte und Stürme der f r e i e n Menschen fügen werden;
denn niemand von uns bedenkt, daß er hier den alten
Wetter-Mißverstand wiederholet, da wir erstlich über
fremde Geisterfreiheit unmittelbar gerade nicht m e h r
vermögen, als über fremde Körpernotwendigkeit, und da
zweitens jene, sobald sie in dieser erschienen, nur eine
neue Sklavin der Natur mehr ist.

O, das eigentliche große Unglück, das immer mit dir zugleich auch deine Mitbrüder trifft, erscheint nur selten,
desto öfter kehren deine Irrtümer und Fehler zurück und
verdunkeln und erkälten dein Leben. So wird der Erde
die Sonne nur selten durch den Mond verfinstert, aber
desto häufiger und verdrießlicher durch die eigenen Wolken bedeckt.

Kein Mensch krümmt sich so feige zur Erde, daß er bekennt, er werde jeder Art von Schmerzen erliegen und
gar keine bekämpfen und ausdauern. Nun aber dann,
wenn du einmal kämpfen und trotzen willst, so darfst du
kein Leiden ausnehmen, sondern mußt dich gegen alle
stellen, aus demselben Grunde gegen größte wie gegen
kleinste, und alles entweder durch Licht der Besinnung
auflösen oder durch Verhärtung des Gefühls aushalten,
was da kommt, donnernde Wolken und donnernde Menschen, ein Gerstenkorn im eigenen Auge und einen Basi-
liskenblick im fremden. Auch wär' es ja widersinnig,
wenn du nur gegen Bienenstiche, aber nicht gegen Schlan-

genstiche dir bei der Vernunft oder der Religion die Sal-
ben verschriebest, oder dir von ihnen nur den verstauch-
ten Fuß, nicht den gebrochenen Arm zurechtdrehen ließest.
— Der Meisten Leben gleicht dem Wasser, das nur auf
e i n e m Punkte Sonnenglanz hat und rund herum dunkel
bleibt; zieht nun ein Wölkchen über den Punkt, so ist alles
finster gefärbt. Allein dein Leben gleiche lieber dem Dia-
mante, der von Natur auch bloß auf e i n e m Punkte
strahlt, dem aber die Schnitte der Kunst auf allen Seiten
neue Lichtflächen geben, so daß er nirgends finster ist.
Bleibe denn nicht bloß in e i n e r Lage heiter, sondern,
wie auch das Schicksal dich wende und wo es dich ver-
decke, so könne fortleuchten!

9

ZEIT UND EWIGKEIT

1. Ottomars Klage über die Zeitlichkeit des Lebens

Ich werde recht des Lebens satt, eben weil es nicht satt
macht.

Man schmeichelt uns, wenn man uns mit Eintagsfliegen
oder Haften vergleicht; denn diese leben als Würmer über
drei Jahre in ihren Tongehäusen im Wasser, bis sie end-
lich zur schönsten Zeit aus dem dunkeln Wasser in das
milde Abendsonnenlicht aufsteigen und nach kurzem Spiel
ohne Nacht und Hunger verscheiden. Nach Verhältnis
lebt der Mensch trüber und kürzer, und noch dazu mit
dem Bewußtsein einer Kürze, die aus fliegenden Kürzen
besteht. Höchstens sind wir Eintagsfliegen mit umgekehr-
ter Verwandlung, spielen auf Flügeln ein paar Morgen-
stunden in der Jugendsonne, legen dann, statt uns zu häu-
ten, Haut nach Haut an, um Puppen zu werden, und en-
digen auf dem Boden als Larven und Würmer.

Das Vorüberfliegende und -Schießende der Zeit auf ihren
Tertienflügeln wird uns dadurch verhüllt, daß wir die

Zeit nach großen Stücken, nach Wochen und Jahren aus-
messen. Zählten wir aber nach den 1440 Minuten, in die
sich der Tag zerstückt — oder gar nach den 435 600 des
Jahrs —, so sehen wir das reißende Rinnen der Zeit an
den kleineren Wellen, so wie uns umgekehrt Jahrzehende
fast wie stehende Seen vorkommen, die wir durchschwim-
men. Berthoud erfand Pendeluhren, welche Sekunden
ausschlagen. Diese Sekundenuhren läuten nun auf allen
Welten und Sonnen unaufhörlich seit der Ewigkeit; aber
dieses Leichengeläute des Daseins oder der ewig sterben-
den Zeit klingt vor meinen Ohren fort, und die vorige
Minute, worin ich dieses schrieb, starb durch die Uner-
meßlichkeit hindurch in allen Geistern mit jedem Gedanken, den sie gegeben; denn jeder nachkommende gehört
der nachkommenden.

Das beständige Anschauen des eiligen Vorüber in mir zer-
setzt und verdünnt mir alle Genüsse bis zu den sinnlichen
herab. Es ruht alles im Geiste als ein Regenbogen auf
einem Wasserfalle; Bogen und Fall stellen ihr Verflüch-
tigen als ein Festes dar, und der Bestand borgt seinen
Schein von der Unaufhörlichkeit des Unbestands.

Freilich, große überfüllende Gefühle, wie des Frühlings,
der Liebe, der Erhebung zum Unendlichen, verbergen ihr
Fließen wie das Meer das seinige; aber dasselbe stehende
Meer, das nicht wie ein Bach dahinzurinnen scheint, geht,
wenn nicht vor-, doch aufwärts als Wasserwolke. Es ist
einerlei, nehme man dies bildlich oder nur unbildlich.

So sterb' ich täglich am Anschaun der Sterblichkeit. Das
Verfließen der Menschen spiegelt sich im Verfließen der
Augenblicke. In großen Städten versteckt sich freilich
hinter die Menge der Lebenden die Vergänglichkeit derselben, als könnte einer den andern gegen sie decken, indes die Menge eben die Zahl der Vergehenden erhöht. So
erinnert das Schlachtfeld ein Heer grade nur an die leben-

dig, nicht aber an die tot Gebliebenen; — oft überfällt
es mich peinlich, wenn ich lange in den einzigen immer-
blühenden Zaubergärten der Bücherwelt umhergegangen
und darin himmlische Blüten und himmlische Stimmen in
einer Vereinigung des Herrlichsten aus allen Weltteilen
und Weltzeiten bis zur Trunkenheit genossen, peinlich
überfällt mich dann die Besinnung, daß ich beinahe nur
mit lauter Verstorbnen Umgang gehabt und daß die
Zaubergärten nur redende Gottesäcker gewesen. Der Ge-
lehrte aber vergißt eben darüber alles Leben und Sterben
um ihn her. Dieses Fortdauern und Fortwurzeln auf den
Bücherbrettern — da jedes Buch ein Buch des Lebens für
den Verfasser ist — wendet mehr als alle Zerstreuungen
der Welt die Augen der Studierstubeneinwohner von dem
weiten Umfallen der Menschen nach Menschen ab. Auf
jedem Grabe steht und lebt ihnen als eine Memnons-Sta-
tue der Mensch fort, der sein Buch geschrieben; sie sehen
die leuchtenden Geister, wie Herschel durch das Feld
seines großen Fernrohrs die Sterne der Milchstraße, zu
Tausenden vorüberlaufen, ohne an die Erde zu denken,
welche um sich die Sterne laufen und in sich die Leiber
liegen läßt. Ja, der Schriftsteller selber fühlt sich schon
lebendig in seinen unsterblichen Namen verwandelt und
wirft seinen Körper nur als Puppenhülse ab, um als leich-
tere Psyche über seinen Werken zu schweben. Und was
für den Gelehrten der Büchersaal, ist für das Volk alles,
was außen fest steht, Feld und Haus und Stadt und
Nachkommenschaft. Ja, die Dauer des Grabsteins und die
Wiederpflanzung des Holzkreuzes sind ihm nicht Denk-
mäler der irdischen Flucht, sondern des irdischen Besitz-
standes. —

So leb ich nun, und der Tod sieht mich als ein Argus
mit seinen tausend zugeschlossenen Augen in einem fort
an!

2. Trostantwort

Gegen die Endlichkeit gibt es freilich nicht viel Trost. Mit Kant sich aus ihr die Zeit als eine bloße Form weg- zudenken, würde nicht viel leichter — da der Zwang der Anschauung, obwohl an andern Stellen unseres Ich, der- selbe ist — als sich das moralische Gesetz als bloße An- schauungsform des Herzens aufgehoben vorzustellen; und da der Zeit auch der Raum nachsänke, so begrübe dieser wieder in seine Gruft die ganze Mathematik und folglich eine Gewißheit mit, der jede andere menschliche nach- stürbe. — Und doch entscheidet dies nicht genug; denn das Sein der Ewigkeit, welche jede Zeitlichkeit oder den alles verschlingenden Saturn verschlingt, ist auf gleiche Weise voll Widerspruch und über allem Widerspruch, zu- gleich unleugbar und undenkbar.

Aber wozu im hiesigen Dasein alle diese Fernen des Ver- standes und des Herzens? Hier müssen wir uns zuvörderst für d a s einrichten, was wir halten und aushalten.

Auch ich, lieber Ottomar, plage mich zuweilen mit der Anschauung der Vergänglichkeit, womit ich mich früher gelabt und gehoben. Und früher war's recht und gut für mich und jede Jugend. In dieser, der Blütezeit sowohl der Leidenschaften als der Ideale, wirken die Hinter- gründe des Daseins wärmend und mildernd zugleich. Wie Trauben schöner und feuriger an Wänden reifen, die man schwarz angestrichen, so gedeihen die bessern Früchte der Jugend an den dunkeln Mauern des Endes. Auch stört — fragt jede Jungfrau und jeden siechen Hölty! — das näher gerückte Schattenspiel des Todes keine einzige Freude, sondern der Schatten vermischt sich bloß mit der scharfen Lebenshelle zu einer Morgen- oder Zauberdäm- merung ihres irdischen Anfangs. Ach, ihr frommen Jung- frauen, die ihr so willig hinunterginget ohne andere Braut- kränze als die, welche eure Freundinnen auf eure Bahre legten, und ihr Jünglinge, die ihr in das mitten auf euerer Laufbahn ausgehöhlte Grab mit Ergebung einsanket, obgleich die Siegespalme eures halben Laufs in der Ferne stand, ihr bewegt und beschämt die älteren Menschen, welche nach langem Erreichen und Genießen immer nur wieder anfangen wollen.

Ich verdamme mich daher, lieber Ottomar, nicht ganz, wenn ich früher zu oft an Nachtstücken oder Sargdeckelstücken der letzten Stunden oder als Silhouetteur der unterirdischen Schatten gearbeitet. Die Glut des Lebens sowie der Frost des Leidens werden durch die Blicke auf die Grabhügel gemildert, so wie die Gebirge im Sommer die Hitze der Länder mäßigen und im Winter die Kälte derselben.

Im Alter hingegen hat man mehr Jugend nötig, mehr Rückwärts- als Vorwärtsschauen, da wir eben im Alter unser eignes Echo sind, das wie jedes andere nur in immer tiefern Tönen wiederholt.

Ich komme nun zu dem, was uns die Zeitlichkeit, das Vertropfen und Verdünsten des Daseins erträglich, ja unsichtbar machen kann.

Um zum Troste zu gelangen, tu' ich mir die Frage: warum ihn denn so viele Tausende gar nicht brauchen, die Kinder, die Wilden, das Volk, sogar die Unglücklichen? Können wir andere nicht eben so glücklich sein wie diese alle, beinahe hätte ich gesagt, die Unglücklichen?

Lasse dir das Leben nicht von außen vormessen und vortröpfeln — da z. B. ein Strom sogar dem Nicht-Empfindsamen seine Wogen dunkel als mitrinnende Zeitwogen vorflößt —, sondern laß es von innen an dichten Gefühlen und weiten Gedanken vorüberziehen, so wird sich die Zeit oder das Leben nicht in leere Tertien zersetzen, sondern in lebendige Gedankenmassen zergliedern. Tue etwas, so spürst Du wenig Zeit; tue viel, so spürst Du höchstens zu wenige.

Mache einen Feldzug — einen Bauplan — ein Heldenge-
dicht — ein Kunstwerk — ja eine bloße Reise: die Zeit
der Gegenwart verliert ihr Zerrollen durch deinen Gang
und Blick nach einer Zukunft, die unbeweglich bleibt; ja,
die Flüchtigkeit der Zeit wird zur Schwerfälligkeit einer
Unzeit. Ebenso verdeckt der Schmerz als ein dichteres
Innenleben das Rinnen der Zeit, daher wir wieder ihn
durch die Auflösung in ihre Teile verdünnen können, in-
dem wir ihn jeder mitbringenden und wegtragenden Ter-
tie aufladen und mitgeben.

Am lautesten wird uns ihr Verrauschen, wenn wir einsam
nur unserem Ich zuhören; aber ein zweiter Geist scheint
dem unsrigen ordentlich die Gegenwart zu befestigen, so
wie ein zweites Wesen uns in der kalten Gespensterfurcht
lebendig erwärmt. Wie vor jeder Kraft der Innigkeit und
Erhebung zugleich, verbirgt sich vor der Liebe als der
schönsten das Fließen der Zeit, und ihr Strom verliert sich
als eine Perte du Rhône *[wie die Versickerung der Rhone]*
vor dem Herzen, das liebt. Jedes Gefühl ohnehin, sogar
des Hasses, aber am meisten das der Liebe, verleiht sich
und seinem Geliebten Ewigkeit; woher sollt' ihm dann
die Zeit mit ihren laufenden Wellenringen erscheinen? —
Auch die Wissenschaft tut dasselbe und kennt keine Zeit,
weil sie keine Erschöpflichkeit ihrer selber kennt. Es liegt
eine so erhebende Gewalt über Zeit, Endlichkeit und die
niederbeugenden Lasten des Lebens in aller Untersuchung
und Wissenschaft, von der Philosophie und Mathematik
an bis zu den niedrigern nach außen, daß man das Leben,
welches wie Bucephalus vor dem Schatten erschrickt, den es
wirft, nicht besser handhaben kann als wie Alexander sein
Roß, indem man es gewaltsam nach dem L i c h t e dreht
und dann es gebraucht und verbraucht. Sogar ein Leugner
der Unsterblichkeit und Anbeter der Wissenschaft zugleich
könnte sich sein Einäschern durch den Gedanken versüßen,
wie ein Aschenhaufen nach dem andern auf dem Sonnen-

altare der Wissenschaft wieder als lebendiger Phönix auf-
fliege.

Unsere irdische Zeitlichkeit erlaubt auch noch allerlei
lindernde Ansichten. Eigentlich gibt es in uns keine Au-
genblicke und Zeitteile, sondern nur einen ewigen Au-
genblick, vor welchem außen die anderen vorüberfließen.
Wahrhaft bricht unsere innere Gegenwart nie ab, und sie
bleibt das Unvergängliche unter dem Vergänglichen, das
an ihr herabschmilzt und -rinnt. Unser geistiges Auge
muß nur sowohl in der Ansicht der Zeit als der Leiden
nicht die Täuschung unseres körperlichen sich wiederholen,
dem die festen Fixsterne zu laufen scheinen, indes sich
bloß die Wolken unter ihnen bewegen.

Unaufhörliches Fließen ist Stehen; ein ewiger Strom ist
ein stehendes Meer. Das Vergehen der Zeit kümmere Dich
nicht, da sie eben ja nie vergehen kann, sondern bloß ein
ewiges Entstehen abmißt und einschließt. Und kann denn
in uns auch nur das kleinste Gefühl oder das kleinste Ge-
dankending verschwinden, ohne durch ein neues fast
früher ersetzt zu sein, als das alte — denn im Geiste gibt
es keinen leeren Raum — abgetreten ist? Und steht also
nicht eine unverrückte ewige Welt vor uns fest? Oder
was will denn sonst noch eine Ewigkeit im Menschen?
Letzte Antwort: das Herz. Nun, für dieses wird schon
künftig Der sorgen, der die Zeit herausgab aus seiner
Ewigkeit und der wieder diese hineinlagerte neben jene
ins Herz. Erschüttert Dich zu sehr das Flüssige, Fliegende
des Lebens, so schaue den alten Festen an, Gott!

10

DER KLEINE KRIEG IN DER BRUST
(Geschrieben 1808)

Der Krieg hat über Deutschland ausgedonnert. Die Rö-
mer feierten einen Tag des Donners heilig, und die Be-

zirke, in die er geschlagen, wurden von der gemeinen Erde geschieden. Wie viele Tage und Länder sind in diesem Sinne uns jetzt geheiligt!

Eine Ungerechtigkeit, die nun an verwundeten Völkern begangen wird, schreit mit zwei Stimmen gen Himmel. Geh auf die langen Felder, wo halbe Heere sich u n t e r die Erde gelagert haben, und drücke dann frech genug das, was noch ü b e r ihr übrig geblieben, in sie nach und nieder; setze, wie der rechte Mensch den Frieden mitten im Kriege, so den Krieg im Frieden fort, und bejammere doch unverschämt den langen ungeheuern Schmerz, den ein Eroberer aus seinem Gewitterhimmel schickt, indes du noch mit deinen kurzen Armen kleine Wunden austeilst!

In jeder Sünde wohnt der ganze Krieg, wie in jedem Funken eine Feuersbrunst. Mancher außen unbescholtene Mann ist vielleicht in nichts von einer Geißel Gottes verschieden als im Mangel des Ruhms und des Geißelgriffs. Der Krieg ist nur der vergrößernde Hohlspiegel der Wunden, die wir so leicht machen, nur das Sprachrohr und Sprachgewölbe der Seufzer, die wir einzeln auspressen.

Laßt uns also richtiger und ruhiger die Schwärze wie den Glanz des Kriegs ins Auge fassen, und wenn wir auf der einen Seite oft den Siegeshelden nur als ein Sternbild aus den hellen Taten einer Menge zusammengesetzt betrachten, so wollen wir auch auf der andern uns seinen Schattenriß nicht aus den Tatflecken seines Heeres zusammenmalen oder seinen Namenszug in den Steppenfeuern seines Volks erblicken. Der Macht wird stets zu viel durch Freunde von den Ehrentaten der Menge, und zu viel durch Feinde von den Unehrentaten derselben zugeschrieben.

FRAUENSPIEGEL
Noch hundert Scherben

1

An den Weibern ist alles Herz, sogar der Kopf.

2

Es ist Teufelsvolk die Weiber; scheinen sie schlimm, so sind sie es auch, scheinen sie es nicht, so sind sie es doch.

3

Eine Frau kann einem Achtung für ihr Geschlecht einflößen. Aber mehrere auf einmal vermindern sie.

4

Für jeden ist eine Frau etwas anderes: für den einen Hausmannskost, für den Dichter Nachtigallenfutter, für den Maler ein Schauessen, für einen Empfindsamen Himmelsbrot und Liebes- und Abendmahl, für Weltmenschen der Leckerbissen eines indischen Vogelnestes oder eine pommersche Gänsebrust, und für einen andern eine kalte Küche.

5

Die besten Weiber sind unter den Weibern — Weiber.

6

Sind die Frauen gut, so stehen sie zwischen dem Mann und dem Engel; sind sie schlecht, so stehen sie zwischen dem Mann und dem Teufel.

Man wisse, daß die Weiber keine gefallnen Engel sind, sondern fallende.

Wenn man über die Brücke zur Engelsburg in Rom ginge, so würde man an die Weiber denken, weil auf ihr zehn Engel, jeder mit einem andern Marterwerkzeug — der eine mit den Nägeln, der andre mit dem Rohr, der dritte mit dem Würfel — ausgehauen stehn. So hat jede ein anderes Marterinstrument für uns arme Gotteslämmer in der Hand.

Man kann an derselben Person die Koketterie gegen jeden bemerken und doch ihre gegen sich übersehen — wie die Schöne dem Schmeichler glaubt, den sie für den ausgemachten Schmeichler aller andern hält.

Eine Frau lernt man in e i n e r Stunde mit einer dritten Person besser kennen, als mit sich allein in zwanzig Stunden.

Solange ein Weib liebt, liebt es in einem fort; ein Mann hat dazwischen zu tun.

Die Weiber begreifen nicht genug, daß die Idee, wenn sie den männlichen Geist erfüllt und erhebt, ihn dann vor der Liebe verschließe und die Personen verdränge, indes bei Weibern alle Ideen leicht zu Menschen werden.

Die guten Weiber müssen immer die Himmelsleiter tragen und halten, auf der die Männer ins Himmelblau und in die Abendröte steigen.

Alle Weiber, sogar die ohne Geist, sind über Dinge, die sie näher angehen, die feinsten Zeichendeuterinnen und prophetische Hellseherinnen.

15

Wir verehren das weibliche Geschlecht und tyrannisieren einzelne. So hat das g e s a m t e gallische Volk das Majestätsrecht, die Einzelnen sind Untertanen und weiße Neger. — Aber die geheime Ursache ist: die Weiber lassen sich wie die letzten römischen Kaiser zu Göttern machen und glauben selber keine; es sind vergötterte Atheistinnen!

16

Ihre dichterischen und künstlerischen Strahlen behalten sie meistens so lange, wie das Johanniswürmchen seine kleinen: es zieht sie ein, wenn es Eier gelegt. Die Wasserpflanze senkt sich nieder zu Boden, wenn sie Früchte ansetzt.

17

Eine Frau kann's von einem Mann, den sie hochachtet, gar nicht begreifen, daß er sich verliebt, wenn's nicht in sie ist, und sie kann's kaum erwarten, bis sie seine Geliebte zu Gesicht bekommt.

18

Genau genommen ist jede Frau auf ihr ganzes Geschlecht eifersüchtig, weil demselben zwar nicht ihr Mann, aber doch die übrigen Männer nachlaufen und so ihr untreu werden.

19

Weiber hassen den selten, den sie verleumden; sie denken nichts Böses dabei (ja sind ihm vielleicht sogar dankbar für die Gelegenheit).

20

Gute Weiber gönnen einander alles, ausgenommen Kleider, Männer und Flachs.

*Die besten Weiber verklagen oft gegen einen Fremden
ihre Männer, ohne sie darum im geringsten minder zu
lieben.*

*Diese lieben Wesen gehorchen leichter dem Manne, den
zehn Geboten, den Büchern, der Tugend — dem Teufel
selber leichter als dem Diätiker.*

*Eine Frau gehorcht vielleicht auch einmal, um zehnmal
befehlen zu können.*

*Die Weiber ertragen (nach Haller) länger den Hunger als
die Männer; ferner berauschen sie sich schwerer (nach Plu-
tarch); sie werden (nach Unzer) älter, kahl gar nicht; sie
bekommen (nach De la Porte) die Seekrankheit schwächer;
schwimmen (nach Agrippa) im Wasser länger oben; werden
(nach Plinius) seltner von Löwen angefallen, und sind
(nach allen Erfahrungen) immer die Erstgebornen und
bessere Krankenwärter als die Männer.*

*Wie viele edle Weiber, die es früher für höher hielten, zu
bewundern als bewundert zu werden, wurden kräftig,
kenntnisreich, beinahe groß, aber unglücklich und kokett
und kalt, weil sie nur ein Paar Arme fanden, aber kein
Herz dazu und weil ihre heiße hingegebene Seele kein
Ebenbild antraf, womit eine Frau gerade ein unähnliches
meint, nämlich ein höheres Bild. Der Baum mit den er-
frorenen Blüten steht dann im Herbste hoch, breit, grün
und frisch und dunkel vom Laube da, aber mit leeren
Zweigen ohne Früchte.*

*Glaube mir, die Weiber haben größere Schmerzen als die,
worüber sie weinen.*

O, vor wem das liebevolle zugedrückte Herz eines guten Weibes aufginge: wieviel bekämpfte Zärtlichkeit, verhüllte Aufopferungen und stumme Tugenden würde er darin ruhen sehen!

Reißt den guten Geschöpfen, die die schönsten Träume voll Phantasieblumen ins leere Leben sticken, doch den kurzen einer empfindsamen Liebe nicht weg! Sie werden ohnehin zu bald geweckt und ich und du schläfern sie mit all unsern Schriften nicht wieder ein.

Die Weiber und sanfte Leute sind nur zaghaft in eignen Gefahren und herzhaft in fremden, wenn sie retten sollen.

Je weiblicher eine Frau ist, desto uneigennütziger und menschenfreundlicher ist sie.

Eine geniale Frau hat die seltenste Gabe, zu verstehen, und das häufigste Unglück, nicht verstanden zu werden.

Ausgezeichnete Weiber verraten ihr Geschlecht am meisten im feindlichen Zusammenstoßen mit ausgezeichneten.

Die Weiber stimmen gewöhnlich, wie Harfenistinnen, mit geringen Fußtritten die ganzen Töne der Wahrheit unter dem Spielen zu halben um.

Jede Frau ist feiner als ihr Stand. Sie gewinnt mehr durch die Kultur als der Mann.

Man hat nichts so sehr zu fürchten wie die Schmeicheleien
der Frauen. Der Fuchs stutzt vor einem unerwarteten
Leckerbissen und vermutet richtig die versteckte Falle. Eh
man die Schafe schert, wäscht man sie weiß. Wenn eine
Frau ihren Mann sehr lobt und liebt, so weiß er, daß er
ihr etwas Teures zu kaufen habe.

Im Einkaufe — nicht im Verkaufe — sind die Weiber
weniger großmütig und viel kleinlicher als die Männer,
weil sie argwöhnischer, besonnener und furchtsamer sind
und mehr an kleine Ausgaben gewöhnt als an große.

Den Weibern, welche wie Gott Anubis halb zu den obern,
halb zu den untern Göttern gehören, muß auch wie diesem
geopfert werden, nämlich doppelt auf einmal, wie jenem
weiße und schwarze Hunde; der Mann, der an ihren Altar
tritt, muß ein Herz darauf ausbreiten, worin nach einer
richtigen Vermischungsrechnung Ruchlosigkeit und Senti-
mentalität in beide Kammern geschickt verteilt sind.

Die männliche Eitelkeit kann leichter als das männliche
Herz die weibliche Liebe ahnen, und jene präsumiert
mehr als dieses errät. Aber am schlimmsten spielen wir
jenen stillen Weiberseelen mit, deren Wärme sich nur durch
Erdulden der Kälte, deren Liebe sich nur durch Treue of-
fenbart, und die dem Brunnen in der Baumannshöhle
gleichen, welcher sich, wenn man aus ihm schöpft, immer
wieder füllt, und der doch niemals überfließt. Ihr Wert
blüht erst nach den Flitterwochen und man muß sie heiraten, um sie zu lieben.

Ich möchte deshalb kein Frauenzimmer sein, weil ich es dann nicht mehr so lieben könnte.

Die Ehe erschöpft bald den weiblichen Kopf, aber kein Herz ist zu erschöpfen.

Viele guten Schönen beschirmen ihr Versagen durch Gewähren; sie leisten, um sich für ihren tugendhaften Feldzug selber zu besolden, in kleineren Dingen keinen Widerstand, sie geben mehrere Besitztümer und Verschanzungen von Kleidern und Worten preis, um geschickt dem Feinde zuvorzukommen und zu begegnen, so wie kluge Kommandanten die Vorstädte abbrennen, um oben in ihrer Festung besser zu fechten.

In Frauenzimmer wird man oft aus Langeweile verliebt — man weiß nichts besseres mit ihnen anzufangen.

Edle Liebe reinigt, wie die Tragödie, die Leidenschaften des Menschen, indem sie solche erregt.

Liebe ist ein Auszug aus allen Leidenschaften auf einmal.

Die Leidenschaften, sagt Plato, sind die Pferde am menschlichen Wagen. O, und wie leicht schwingt sich ein Weib auf den Kutschbock, um spazieren zu fahren!

Schon an und für sich haben die Weiber und die spanischen Häuser viele Türen und wenig Fenster, und es ist in ihr Herz leichter zu kommen als zu schauen. Vollends Mädchen! Da die Frauen sowohl physiologisch als moralisch bestimmter, kecker entwickelt und gezeichnet sind, so kann man leichter zehn Mütter als zwei Töchter erraten und mithin [als Schriftsteller] abkopieren. Die körperlichen Porträtmaler klagen ebenso; denn schöne und junge Gestalten sind eben dem Gedächtnis wie dem Pinsel schwer, und alte, schroffe und männliche beiden leichter.

47

Nichts ist gefährlicher, als wenn man nur mit zwei, drei Fingern an ein Frauenzimmer pickt und anstreicht. Mit dem ganzen Arm hinzukommen, ist ohne Gefahr. Es brennen ja auch die Nesseln weit mehr, wenn man sie leise streift als hart anfaßt.

48

Jeder Reiz des Weibes ist zu schön für eine Enthüllung, aber vorzüglich wird ihr Herz durch Nacktheit verletzt; und kann auch eine Schöne den Busen unbekleidet tragen, so darf sie doch das Herz, zu dessen schöner Larve ihn die Natur geschaffen, nicht allen Augen preisgeben.

49

Männer sagen den Frauen, wie schön sie seien, um sie zu überzeugen, sie seien es selber. Denn in den Augen einer Frau ist ihr Lobredner anfangs ein recht gescheiter, endlich ein ganz hübscher Mensch. Weihrauchkörner sind der Anis, dem die weiblichen Tauben wie toll nachfliegen.

50

Nur beide Geschlechter vollenden das Menschengeschlecht, wie Mars und Venus die Harmonia erzeugten. Der Mann tut's, indem er die Kräfte aufregt, die Frau, indem sie Maß und Harmonie unter ihnen erhält.

*Der Mann verbeißt die Wunde und erliegt der Narbe —
das Weib bekämpft den Kummer selten und überlebt ihn
doch.*

*Die Weiber wissen sich so gut zu verstellen, daß sie nur
der Satan oder die Liebe erraten kann.*

*Die Frauen sind so voll Verstellung und Veränderlichkeit,
daß man ihnen einen schlechten Gefallen tut, wenn man
gerade d a s tut, was s i e wollen.*

*Herzen hat jedes Mädchen so viele aufzumachen und zu
verschenken, als ein Fürst Dosen, und beide enthalten das
Bildnis des Gebers, nicht des Empfängers.*

*Sowie der Liebe des Mannes die Blüte, wenn auch nicht
das Laub abfällt, so steht des Weibes ihre als eine aus-
gebreitete überständige Rose da, deren Schmuck ein Stoß
auseinanderstreuet.*

*Die Tugend mancher Damen ist ein Donnerhaus, das der
elektrische Funke der Liebe zerschlägt, und das man wieder
zusammenstellt für neue Versuche.*

*In der Liebe vor der Ehe erscheint das Mädchen zu weich
und charakterlos nachgiebig; aber die Ehe bricht, zufolge
ihrer Bestimmung für Kinder, wie eine nordische Sonne
plötzlich alle Blüten auf, es sei nun an einer Aloe oder an
einem Distelkopf, — sie erstarkt zur Mutter.*

*Verächtlich ist eine Frau, die Langeweile haben kann,
wenn sie Kinder hat.*

Die Heftigkeit einer weiblichen Seele verträgt sich oft mit aller Überfülle eines edlen hohen Herzens, sogar mit vorherrschender Milde und Liebe, — und doch kann eine solche harte Beilage der Natur das Wesen selber und alles Liebende und Geliebte desselben in unheilbares Unglück ziehen. Wird nun gar die Geschlechtsüberwallung durch individuelle erhöht, so sehen wir die Donnergöttin, die mit einem Schlagregen ihre kleinen Blumenkinder erschlägt, nicht zu gedenken des begoßnen Mannes und des verschwemmten Hauswesens und der ersäuften Liebe. Eine stürmende Mutter ist ein Widerspruch in der Erziehung und gleicht den Äquatorialstürmen, die den Dunstkreis erhitzend verderben, indes ein stürmender Vater ihn kühlend reinigt. Dem Kinde, noch auf seiner reinen heitern Höhe stehend, klingt vielleicht die Heftigkeit so schwach, wie auf hohen Bergen dem Ersteiger ein Knall; aber in den Tälern des künftigen Lebens wird es ein Donner, und jede mütterliche Heftigkeit kehrt in den töchterlichen Ehejahren als siebenfaches Echo um.

60

Eine Eifersüchtige ist durch kein Handeln und kein Sprechen zu heilen; sie gleicht der Pauke, die unter allen Instrumenten am schwersten zu stimmen ist und sich am kürzesten in der Stimmung hält.

61

Die weibliche Eifersucht wird immer einige Tage älter als die weibliche Liebe.

62

Die hassende Eifersucht handelt wie die liebende; die Null des Nichts und der Kreis der Vollendung haben beide e i n Zeichen.

63

Weiber reden offenherzig und handeln falsch.

Wenn die Weiber einmal im offenherzigen Ergießen sind,
so schütten sie — man muß nur den Zapfhahn der Fragen
aufdrehen — gerne alles aus.

Wenn Weiber etwas durchsetzen wollen, so werden sie,
sobald die Hindernisse wiederkehren, am Ende blind und
wild und wagen alles.

Am gescheitesten verfährt einer, der die Frauen widerlegen will, wenn er sie — ausreden lässet und seinesorts
gar nichts sagt. Sie werden ohnehin bald auf Nebendinge
verschlagen, worin er ihnen recht gibt, indes er ihnen
sogar in der Hauptsache mit nichts widerspricht als mit
der Tat. Sie verzeihen keinen andern Widerspruch als
den tätigen.

Das Sprechen vom Weinen ist bei Weibern ein Mittel zum
Weinen.

Noch im größten Schmerze werden einer Frau Rollen der
Verstellung leicht.

O, wenn die weibliche Träne leicht fließt, so entflattert ja
noch leichter das weibliche Lächeln, und dieses ist ja noch
öfter als jene nur Schein!

Es gibt mehr Weiber- als Männerschmerzen, wie es am
Himmel mehr Mond- als Sonnenfinsternisse gibt.

Man findet Mädchen selten so wieder, wie man sie ver-
ließ, so wie ihr Empfang allemal wärmer oder kälter ist
als ihr Briefchen vorher.

*In der Sprache der Liebe gibt es keine Pleonasmen und
keine Wiederholungen. Die Liebe ist nichts als ewige
Neuheit. Scheint sie alt in Wort oder Gefühl, so ist sie
schon tot vor Alter.*

*Mich freut alles an den Menschen, was auf ihr Lieben hin-
weist, zum Beispiel die einfache Bemerkung, daß sie wohl
zuweilen zürnen, um desto stärker zu lieben, aber nie
lieben, um zu zürnen. Um so weniger freut mich die von
Rochefoucauld, daß Liebende bloß darum ihrer Unterhal-
tung nicht überdrüssig werden, weil sie miteinander immer
von sich selber sprechen. Dies mag richtiger für ein paar
Zankende gelten, wovon jedes bloß von sich — und zwar
das Beste — spricht, vom andern aber, den man gar nicht
hören mag, bloß das Schlimmste, und welche beide an
ihrer Unterredung sogar auf der Gasse sich gar nicht sät-
tigen können. Der liebende Mensch hingegen hört viel
lieber den geliebten reden — und ihn zwar über sich
selber; sein Antworten malt mehr nur das fremde Selbst
und dessen Wert, und durch eigne Verkleinerung sucht er
fremde Verherrlichung. Der Liebende wägt nicht Vorzüge
ab, ausgenommen, um fremden soviel zuzulegen, daß er
ihnen mit eignen nicht gleichwiegen kann. Kurz: Liebende
lieben die Liebe und nicht sich, sondern — wenn auch un-
bewußt — hoch über sich hinaus. — Ja, der höchste Genuß der zartesten Liebe fällt schon in die heilige Zeit, wo
sie nur hofft und schmachtet und blickt, ehe sie gespro-
chen hat; denn sie treibt wie Südgewächse die Blüten
früher als die Blätter — die Blüten aber rauschen nicht,
sondern nur das Laub.*

*Der Ehemann sollte mehr den Liebhaber und dieser mehr
jenen spielen. Es ist nicht zu beschreiben, welchen mil-
dernden Einfluß kleine Höflichkeiten und unschuldige*

Schmeicheleien gerade auf d i e Personen haben, die sonst keine erwarten und erlangen: auf Gattinnen, Schwestern, Verwandte, sogar wenn sie Höflichkeit für das halten, was sie ist. Diese erweichende Pomade für unsere rauhen zersprungnen Lippen sollten wir den ganzen Tag auflegen, wenn wir nur drei Worte reden. Und eine ähnliche Handpomade sollten wir im Handeln haben. Ich halte, hoff' ich, meinen Vorsatz, keiner Frau zu schmeicheln, und sogar meiner eignen nicht; aber viereinhalb Monate nach der Trauung fang ich an ihr zu schmeicheln und fahre fort mein Leben lang.

75

Sinnlich-leidenschaftliche Liebe in einem Greise ist so verdrießlich wie ein Gewitter im Winter, welches über öden Schneefluren ohne Befruchten blitzt und regnet und das nichts hinterläßt als größere Kälte.

76

O, nur in den Minuten des Wiedersehens und der Trennung wissen es die Menschen, welche Fülle der Liebe ihr Busen verberge, und nur darin wagen sie es, der Liebe eine zitternde Zunge und ein überfließendes Auge zu geben, wie Memnons Statue nur tönte und lebte, wenn die Sonne kam und wenn sie unterging, am Tage aber bloß warm von ihren Strahlen wurde.

77

Man schweigt allerdings zweimal in der Liebe, das erste Mal aus Furcht, das zweite Mal aus Vertrauen. Das erste Mal im stummen Vorfrühling des Herzens, wo die Blicke noch zu laute Worte sind und wo jede Seele in ihrem dunklen Laube für die andere reift. Das andere Mal im Nachsommer des Herzens, wo zwei vertrauende Menschen schweigend, erinnernd und genießend auf der erreichten stillen Höhe nebeneinander stehen, wie man im

Frühling auf einem hohen Gebirge die Sonne über die glänzende Ebene aufgehen sieht, aber das Morgengeschrei der Vögel, die darin und darüber schweben, oben nicht vernimmt.

78

Ihr wollt recht stark geliebt sein, Weiber, und recht lange und bis in den Tod? Nun, so seid Mütter eurer Kinder! Ihr aber, die ihr nicht erzieht, Mütter, wie müßt ihr euch eures Undanks für ein unverdientes Glück schämen vor jeder kinderlosen Mutter und kinderlosen Gattin, und erröten, daß eine Würdige nach dem Himmel seufzet, den ihr wie gefallene Engel verlassen!

79

Gibt es etwas Schöneres als Schönheit und Unschuld? Welche Reize kann eine schöne unschuldige Jungfrau noch borgen, die nicht kleiner wären als ihre eignen? Aber sie borgt doch, sogar die kleinsten; denn sie gleicht dem Römer, welcher die weiße Lilie und das weiße Lämmchen bunt anstreichen ließ.

80

Die kalten Worte, welche in die Liebe oder Freundschaft fallen, sind Frühlingsschnee, welcher bald zu glänzendem Tau einschmilzt; die kalten Worte, die der Haß hagelt, sind herbstlicher Schnee, welcher den hohen winterlichen verkündigt.

81

(Geselligkeit der Weiber unter sich.) „Liebet euere Feinde!" heißt bei den Weibern: Besucht eure Feindinnen und trinkt Tee! — Wenn der Mann am liebsten seinen Milchbruder in Wissenschaft und Politik zur Brüderschaft aufsucht und aus Friedensliebe den Gegenfüßler der Gesinnung meidet, so statten Frauen gern Besuche bei Frauen ab, die ihnen weder beifallen noch wohlgefallen.

Man konnte nicht ohne Vergnügen in Zeiten politischer Zerteilung bemerken, daß gerade die Anhängerinnen (nicht die Anhänger) entgegengesetzter Parteien einander aufsuchten und wie ungleichnamige Magnetpole sich zum Anstoßen einander anzogen. Aber es ist ebenso leicht zu erklären als zu rechtfertigen. Es braucht jede Anhängerin jemand zu ihrem Aus- und Widersprechen, und dazu taugt eine Gegnerin am besten, welche man noch obendrein dadurch bestraft, daß man sie recht ärgert. Wenn Männer leider einander ihren Ingrimm und ihre Verachtung nicht ohne Gefahr, zu beleidigen, zeigen können, und wenn aus einem Wortwechsel leicht ein Kugelwechsel und das Musenpferd leicht das Streitroß zu einem Jägerschießpferde wird, so sollten Weiber ihren herrlichen Vorzug, einander das Boshafteste ohne gefährliche Folgen sagen zu können, mehr zu schätzen wissen, und zumal im Politischen das Glück mehr benützen, daß sie wie Homerische Götter und Miltonische Engel einander so unbedenklich verwunden und zerreißen können bei dem augenblicklichen Zusammenheilen der Stücke. — Überhaupt darf man, hoff' ich, von der Mehrzahl sagen: eine Frau sucht nicht, wie ein Narzissus, das eigne Bild und ein zweites Ich, sondern viel lieber ein Nicht-Ich, und hat aus bessern Gründen als ein Abergläubiger an dem Sichdoppeltsehen oder gar an dem Sichmehrfachsehen keine Freude; ja einer schönen Frau ist vielleicht die häßlichste lieber als eine andere, die ihr an Schönheit noch so ähnlich, ja überlegen ist. — Dieses weibliche Aufsuchen der Gegenkaiserinnen und Gegenpäpstinnen bringt die Koketten in eine Nähe zu einander, die so ersprießlich ist wie die Ferne der Sonnen von einander; denn wie diese nach der Sternkunde in weite Abstände gelagert sind, damit sie sich nicht unter einander im Anziehen der Irrsterne stören und irren, so rücken jene weiblichen Sonnen eben sich nahe zusammen, damit sie einander die größten

Störungen im Anziehen männlicher Erdkörper und Tra-
banten, wo möglich, bereiten.

82

Mit Achtung für den Mann hat (wie Herder schön aus-
einandergelegt) die Natur das weibliche Herz begabt, aber
aus dieser Achtung erblüht zwar anfangs die Liebe für
den Mann, allein diese geht nachher in Liebe für die Kin-
der über.

83

Wißt, daß einer Mutter nichts schöner steht als eine voll-
kommene Tochter.

84

Warum ist denn in der weiblichen Rangliste der Realtitel
„Hauswirtin" kein großer? Bereitet sie nicht als solche
den Kindern, so wie sonst physisch, so kameralistisch eine
freiere Zukunft zu?

85

Wie mit dem Kunstwerk der Künstler zugleich noch et-
was Höheres bildet, den Schöpfer desselben, sich, — so
bildet die Mutter mit dem Kinde zugleich ihr heiligeres
Ich.

86

Die Mütter, welche der Zukunft die ersten fünf Jahre der
Kinder erziehen, gründen Länder und Städte.

87

Die Trauerkleidung mancher Witwe ist die Silhouette der
Freude.

88

„Halt" ist ein Wort, das ich bisher noch in jedem weibli-
chen Wörterbuch und weiblichen Gassengezänk umsonst
gesucht habe.

89

Die Weiber schieben gern auf und die Männer fahren
gern zu. Bei jenen gewinnt man durch Geduld, bei diesen
durch Ungeduld.

Die Weiber meiden nichts so sehr als das Wörtchen Ja;
wenigstens sagen sie es erst nach dem Nein.

Wie das System der Prädestination einige Menschen zur
Hölle verurteilt, sie mögen nachher den Himmel verdienen oder nicht, so nimmt eine Frau den Haß, zu welchem
sie jemand einmal verdammte, nicht wieder zurück, es
mögen Land und Stadt, Gott und die Jahre und der
Person Tugenden dagegen sagen, was sie wollen.

(Schutzwehr der Jungfrau.) Zeigt ihr statt fremder Sünden bloß den eigenen Wert und erwärmt und befruchtet
alles Reine und Himmlische in der jungfräulichen Natur
zur paradiesischen Blüte: dann ist sie beschirmt genug
vor der Entheiligung. Ihr vergiftet sie aber früher als der
Feind selber, wenn ihr die reine Unbefangenheit durch
hellgemalte Warnungen und Bilder der Feinde verscheucht
und die Unschuld hinter kokette Sicherheitsregeln ver-
schanzt. So wird der junge zarte Baum bedornt und ge-
sichert gegen die Zähne hungeriger Tiere im Winter;
aber die Dornen zerstechen die weiche Rinde und zerstö-
ren das Bäumchen.

Jeder hüte sich vor poetischen Tugend-Virtuosinnen,
nämlich er heirate keine davon! Diese moralischen Sta-
tistinnen, welche selten handeln, leben in der Täuschung,
daß sie noch besser sind als alle benachbarte Schauspieler und Schauspielerinnen, bloß weil sie über diese
mit feinem Gefühle lobend oder tadelnd richten. Es gibt
nichts so Zartes, Schönes, Großes, zumal in der Vergangenheit, was sie nicht zu bewundern oder zu fordern wüßten von andern. Dieses Bewundern und Fordern aber steuern

sie mit dem schönen Bewußtsein aus, daß sie die Sache selber haben. Die Wärme ist schön, womit die Tugendsprecherin jede Aufopferung — sie werde ihr oder andern gebracht — zu schätzen weiß; desto tiefer daher muß sie den Selbstsüchtling verachten, der ihr selber eine zumutet. So liebt sie anstatt den Menschen desto inniger die Menschenliebe. Ja, die Statistin behält sogar auf ihrem Kanapee bei aller sitzender Tugendlebensart Unparteilichkeit genug, um die geschäftigste Häuslichkeit einer Martha und jede emsige Gatten- und Kinderverpflegung zu bewundern, ja vorzuschreiben; denn sie weiß so gewiß, was sie in diesem Falle tun würde, wenn sie etwas täte. So gleicht sie als Heldin in der Tugend ganz dem, was ein Held im Kriege ist; nämlich wie dieser ordnet sie erfahren, scharf und kalt alles an, was jeder im Feuer zu tun und zu opfern hat, und schont wie ein Feldherr sich aus Pflicht zum Vorteil des Kommandierens. Auch ihr selber werden die Rollen der edelsten Menschen nicht schwer, wenn sie ein Stückchen Papier — Druckpapier oder Briefpapier — gleichsam als die Bühne erhält, worauf sie solche spielen kann; das Papierblättchen wirft sich ihr sozusagen zum Schal-Spiel an, womit allein die Lady Hamilton durch dessen Wenden und Falten die schönsten alten Göttinnen machte. — Allerdings müssen Personen von solcher moralischen Höhe und Forderung die sittliche Unter- und Schattenwelt unbeschreiblich tief unter sich finden und darum sie so schwarz abmalen, daß sie damit andern, die es nicht schärfer nehmen, ordentlich zu verleumden scheinen. — Darum lasse ein Mann, wenn nicht seine Ehe, doch seine Verlobung mit einer solchen Virtuosin trennen, wenn er nicht das eheliche Band, anstatt zu einem Venusgürtel, lieber zu einem Stachelgürtel geflochten tragen will. Der gedachte ehelustige Mann rechne doch vorher genau nach, ich bitte ihn, zu wieviel Stufen des weiblichen Göttersitzes er sich zu versteigen ge-

traue . . . . In England sagt der Küster gewöhnlich hinter der Trauung „Amen!" Ständ ich hinter der gedachten, so würd' ich sagen: „Wurde die sechste Bitte nicht erhört, so tu man die siebente!"

Gegenwärtiges las ich einst einer solchen Virtuosin vor. Da aber Weiber sich in jedem andern Spiegel leichter und schöner finden als im Schwaben- oder Sachsenspiegel oder anderm Seelenspiegel, so sagte sie freundlich: „Herrliches Wort zu seiner Zeit! Wüßten Sie, lieber Richter, wie viele Weiber dieser Art ich selber gekannt! Aber keiner davon konnt' ich beibringen, daß sie ja selber dazugehöre."

94

Nicht die Jahre an sich reiben die weibliche Schönheit so gänzlich auf, als man zuweilen findet; denn eine Krankheit ist an sich so allmächtig und räuberisch wie das Alter; aber sie läßt doch wenigstens eine entfärbte Blume fortbestehen, das Alter hingegen oft nur ein unförmliches Gewächs. Sondern was die jugendlich schöne Gestalt zu einer verunzierten verschiebt, ist das tägliche Ausbilden und Hervortreiben der Leidenschaften, welche früher in den stillen heitern Jahren der Liebe und der jungfräulichen Amtlosigkeit noch unerzogen geschlummert. Alles Rohe und Hitzige (und jede Leidenschaft ist beides) zieht der Schönheit die Farben aus, und das freundliche Morgenrot der jugendlichen Schönheit wird unter der steigenden Sonnenhitze ein düsteres Gewölk. Eine Frau, die immer lieben könnte, würde nie veralten, und die Mutterliebe und Gattenliebe würde manche Reize geben oder bewahren, wenn sie nicht zu oft mit dem Mutter- und Ehezorn sich in Handelsverträge einließe. Von Natur stillen oder von Religion gestillten Frauen bleibt im Gesichte ein Nachfrühling und später ein Nachsommer ihrer schönsten Zeit zurück.

(*Weibliche Reize in der Ehe.*) Mit bloßen Reizen, leiblichen oder geistigen, in der Ehe zu fesseln hoffen, ohne
das Herz und ohne die Vernunft, welche allein anknüpfen
und festhalten, heißt eine Blumenkette oder einen Blu-
menkranz aus bloßen Blumen ohne ihre Stengel machen
wollen.

(*Erstarkung der milden Jungfrau.*) Bringt das zu weiche,
biegsame Herz in die Ehe und gebt ihm Kinder: so wird
es euch unerwartete Kräfte des Widerstandes zeigen und
statt des jungfräulichen Gehorchens vielleicht Befehle. Im
süßen Fleische des Pfirsichs bildet der Kern eine beschir-
mende Steinrinde um sich; und nicht dem äußern Schlage,
bloß dem warmen, linden Drucke des Keimes von innen
gibt der harte Panzer nach und tut sich auf.

Der Mut gegen Weiber wird nicht angeboren, sondern er-
worben.

Ausgezeichnete Weiber loben sich geradezu und weit
mehr als ausgezeichnete Männer.

Die Mädchen sind wie Kalk, den der Freskomaler nur solange bearbeiten und bemalen kann, als er frisch und
feucht ist.

Der Mantel der Liebe bedeckt alle Fehler.

ABGERISSENE GEDANKEN
Drittes Hundert

1

Der Krieg ist der Kaiserschnitt der Menschheit; er entbindet gewaltsam die Geister.

2

Gibt's irgendwo in der Weltgeschichte Fußstapfen eines Fortschrittes der Menschheit, so sind sie auf den Wegen zur Freiheit sowie zum Lichte.

3

Eine Nation kann nur stolz auf die Masse, nicht auf die Genies, das heißt auf die Ausnahmen, sein. Eine sich allmählich mit Armen oder Augen emporhebende Fleißstadt hat auch, ohne einen einzelnen Stern vorzuzeigen, auf mehr echten Ruhm Anspruch als irgendeine andere, in welche der warme Glückswind den Blumenstaub oder die Phönixasche irgendeines Genius zur Geburt einweht. Man kann überall geboren werden, zum Beispiel in Bethlehem, aber nicht überall gepflegt; die Erhaltung eines Genius ist, wie in der Theologie, die zweite Schöpfung, und so hat die ästhetische Wiedergeburtsstadt Weimar die Ehre, die Geburtsstadt von vier großen Dichtern zu sein, *sowie Jena die Ehre einer Entbindungsanstalt mehrerer Philosophen.*

4

Erbittert doch, ihr Schriftsteller, nicht Länder gegen Länder durch unnütze oder gar parteiische Rügengerichte, zumal wenn ihr mit wechselseitigem Hasse keine andere Macht vermehrt als die fremde! — Wählt nicht Polemik sondern Thetik, nicht Streitlehre, sondern Satzlehre! Befördert, erhebt, ernährt, wenn ihr etwas Gutes säen wollt, nur das vaterländische Edle, den Eifer für Wahrheit, den Glauben an göttliche Dinge, die Treue an gereinigter Volkseigentümlichkeit!

Macht nicht für unterirdische Gänge Minierkompasse oder Leuchtkugeln, um der feindlichen Beschädigung die rechten Stellen anzuweisen; sondern euer Licht sei ein Stern, welcher die unsichtbare Herberge anzeige, wo der milde nackte kleine Heiland der Menschen schlief. Kein Heiliger ist zu bezwingen. Die Gewalt des Sittlichen, die nur in den einzelnen wohnen kann, gleicht dem leisen, zuweilen harmonischen Forttröpfeln des Tropfsteinwassers in großen Höhlen. Die kleinen Tropfen erschaffen zuletzt feste Steingestalten, Altäre und Wunderwesen, und verkleiden das Bilden in Tönen. Aber der Strom, die Flut, die Sündflut setzen nicht an, sondern reißen nur weg

5

Freilich ist jedes Werk, auch das große, ja das unsterbliche, eine versteckte Zeitschrift, nämlich zunächst d u r c h die Zeit und f ü r die Zeit entstanden. Und wieder umgekehrt. Wehe der eigentlichen Zeitschrift, in welcher nichts lebt als der sterbende Augenblick!

6

Die Natur zeugt und gebiert stumm in jedem Frühling ihre neuen Welten, und sie wird nur laut an irgendeinem Jüngsten Tage, wo sie zertrümmert. Umgekehrt gebären und ersterben die Völker: ihre Geburten und Wiedergeburten geleitet ein Sturm.

Es ist aber ein alter Ministerkunstgriff oder -Fehlgriff, das Geschrei, das Blut, die Wehen bei einer politischen Geburt für die sichtbarsten Zeichen auszugeben, was nun vollends von dem Wechselkinde zu erwarten sei, wenn es aufgeschossen herumgehe. Aber oft sind leider manche, die über Unruhen klagen, gerade die selben, die sie stiften.

7

Die Zukunft hat keine Sicherheit vor dem Krieg; England oder Frankreich oder Rußland wirft neue Flammen aus und Lava. Nur die Kultur der Sitten und Köpfe kann helfen, keine Körpermacht.   (1804)

8

Ein Landesvater, welcher mehr einem Bienen-Vater als einer Bienen-Mutter zu gleichen wünscht, wird die Untertanen so gut wie Bienen behandeln, welchen man bloß neun Teile des eingetragenen Honigs nimmt, den zehnten aber läßt, will man sie nicht selber füttern oder, wie früher geschah, den Stock totschwefeln.

9

(Die Geschichte.) Ein Volk straft das andere, sündigt aber wieder unter dem Strafen, und ein drittes züchtigt das zweite und sündigt, um zu züchtigen . . . . Die Römer straften die Griechen, die Deutschen die Römer, die Zeit die Deutschen, die Zeiten die Zeit, und die Ewigkeit zuletzt die Zeit.

10

Wollte ein großer Staat nur die Hälfte seines Kriegsbrennholzes zum Bauholz des Friedens verbrauchen, wollt' er nur halbsoviel Kosten aufwenden, um Menschen als um Unmenschen zu bilden, und halbsoviel, sich zu

entwickeln als zu verwickeln: wie ständen die Völker
ganz anders und stärker da!

11

Wird vor Gottes Gericht der Schuldige vorbeschieden
vom Unschuldigen, so muß er sterben — und erscheinen.
Dieser Glaube wird zunächst an Staaten wahr, wenn die
Unschuld zu Gott schreit nach Gericht, und sie gehen
unter mit ihren Mächtigen und werden gerichtet.

12

Aber ein geistig Großer und ein geistig Gefürsteter kehrt
ewig zum Gesetz zurück.

13

Das Wasser steigt nie so hoch wie es gefallen; aber der
Mensch oder das Volk fällt nie so sehr wie es gestiegen.
Und wollte uns nur ein höherer Genius den Umweg des
Steigens und die Schneckentreppe sagen, damit wir fri-
scher aufstiegen!

14

Unsere Klage über unsern Geldmangel ist zugleich eine
über unsern Sittlichkeitsmangel; denn da der Krieg uns
den Boden, die Sonne, die Hände, die Köpfe, die Herzen
gelassen — folglich weit mehr als in einem geldlosen
Schweizertale zum seligsten Leben gehört — so haben
wir über keine Beraubung zu klagen als über die an
Luxus, das heißt über eine Beraubung und Verarmung
des kleinern, nämlich reichern Teils. Wir haben noch zu
beißen und zu brocken, aber wir wünschen in die Zahn-
lücken goldne Zähne hinein. (1809)

15

Religion ist etwas anderes als Religionsmeinungen; es
gibt nur e i n e Religion, aber unzählige Religionsmeinun-
gen. Allein der geistliche Stand ließ sonst gern beide ver-

mengen, um die heilige Unveränderlichkeit, welche der Religion angehört, auf die Meinung hinüberzuspielen. Die Kirchenglocke war eine Präsidentenglocke, welche nur läutet, damit man nicht rede.

16

Wie ein Papst bloß durch zwölf christliche Altäre das Kolosseum vor dem christlichen Zertrümmern behütet hat, so sollten wir uns gegen Franzosen mit nichts so sehr wehren als mit — ihren Vorzügen, sodaß wir bei uns als einheimische anpflanzten ihr zartes persönliches und vaterländisches Ehrgefühl, ihre Umsichtigkeit, ihre frohe leichte Lebensansicht und ihren schnellen Entschluß.

17

Schafft und hofft! Euch helfen und bleiben Gott und Tod.

18

Vergeßt über die nähere Vergangenheit nicht die fernere, sowenig als die vielgestaltige Zukunft. Wie am langen Tage in Schweden die Abendröte ohne eine abteilende Nacht in das Morgenrot verfließt, so schmilzt jetzt Fürchten und Hoffen ineinander, West-Abend und Ost-Morgen; folglich ist das Aufsteigen der Sonne nicht weit. (1809)

19

(Vom deutschen Chaos.) Unsere neue Vielgestaltung ist bloß die Anverwandte unserer alten. Für diese wird ein Geschichtsschreiber Mütter genug finden. Nicht bloß darum, weil kein Volk so oft wanderte als das deutsche — denn die Juden und Zigeuner machten die längste und größte grand tour, die es gibt, aber als lauter von Ursitten versteinerte Gestalten — sondern hauptsächlich deshalb, weil das reisende Deutschland zugleich auch ein durchreistes ist von Kriegsheeren und Kauffahrtei-Karawanen,

und weil dieses Herz Europens alle Völker als Adern wäs-
sert — und weil Deutschland ein ganzes Volk von Völk-
chen, ein Land voll Ländchen und ein Spielplatz von
Himmelsstrichen ist — und weil das vielgestaltete Reich
der noch mehrgestaltige Grenzumkreis von Russen, Wäl-
schen, Galliern und noch dabei näher die Mannigfaltig-
keit der halben oder Dreiviertelbrüderschaft von Schwei-
zern, Holländern und Elsäßern und Nordländern und
Ungarn einfaßt — und endlich weil die Deutschen fast
auf allen ausländischen Thronen eine Zeitlang gesessen,
welche als deutsche geistige Niederlassungen und Waren-
niederlassungen uns wieder eben darum fremde Waren zu-
schickten — nach allen diesen Einwirkungen und noch
mehren mußte schon früher Deutschland den Steinen
gleich werden, auf welchen die Abdrücke der ungleich-
artigsten Gegenstände von Pflanzen und von See- und
von Landtieren zugleich erscheinen.

20

Es gibt Pflanzenmenschen, Tiermenschen und Gottmenschen.

21

Wir irrende Menschen gleichen solchen, die in Staubwol-
ken gehen: jeder von ihnen glaubt, hart um ihn fliege der
dünnste Staub oder gar keiner, nur um die in einiger Ent-
fernung von ihm sei er dicht und erstickend; und diese
denken wieder wie er.

22

Gleich einem Morgentraume wird das Leben immer heller
und geordneter und auseinandergerückter, je länger seine
Dauer ist und je näher sein Ende.

23

Die Barbarei und Verfinsterung des Menschen läuft wie
der Riesenschatten des Mondes bei der Sonnenfinsternis

über die Erde und verhüllt fliehend ein Volk um das
andere.

24

Gewisse Menschen hätten Tugend, wenn sie Geld hätten.

25

Der Mensch achtet allzeit, wenn er den Berg überstiegen
hat, den kommenden Hügel für nichts.

26

Vor großen Entscheidungen des Verhängnisses ergreift
alle Menschen der Aberglaube.

27

Die Arme des Menschen strecken sich nach der Unendlichkeit aus; alle unsere Begierden sind nur Abteilungen eines
großen, unendlichen Wunsches.

28

Im Kinde tanzt noch die Freude, im Manne lächelt oder
weint sie höchstens.

29

Überschmerz ist Selbstmord des Herzens, und wie man
in Schlesien den Selbstmörder mit dem Gesicht gegen die
Erde gewandt begräbt, so liegt der Übertraurige ebenso
mit dem Gesichte, das er gegen den verlornen gegenwärtigen und künftigen Himmel erheben sollte, auf die Erde
gekehrt, ohne noch in ihr zu sein. Richte dich auf, blick
umher und schaue etwas Höheres, Heitereres als Erde,
Erdwürmer und Erdenschwarz!

30

Nicht Genießen sondern Heiterkeit ist unsere Pflicht und
sei unser Ziel! In einer Seele voll Unmut und Verdruß
erstickt die dumpfe schwere Luft alle geistigen Blüten

und den sittlichen Wuchs. Der süßen Wehmut, dem Mitschmerze öffne sich das Herz, aber nicht dem kalten Mißmut und dem Niedergeschlagensein, so wie die Blume zwar vor dem Tau offen bleibt, sich aber vor dem Regen zuschließt. Das Übelsein ist so wenig und das Wohlsein so sehr unserer Natur zugehörig, daß wir bei gleichem Grade der Täuschung nur die Täuschung, welche peinigt, nicht die, welche erfreut hatte, bereuen.

31

Das Glück des Lebens besteht, wie der Tag, nicht in einzelnen Blitzen, sondern in einer steten milden Heiterkeit. Das Herz lebt in diesem ruhigen gleichen Lichte, und wär es nur Mondlicht oder Dämmern, seine schönere Zeit. Nur kann uns diese himmlische Heiterkeit und Unbetrübnis bloß der Geist bescheren, nicht das Glück, das nur stoßweise gibt wie raubt, und wir spüren immer den Stoß des Schicksals, gleichviel ob er uns in den Himmel oder in die Hölle werfe.

32

D'Alembert sprach das Atheisten-Wort aus: „le malheur d'être" [das Unglück, zu sein]. So würde denn nichts glücklich als das Nichts, und Gott als der Ur-Seiende der Unglücklichste. Alle Wesen aber sagen: „le bonheur d'étre" [das Glück, zu sein] und beweisen es, indem sie ungern sogar ihren Schmerzen absterben.

33

Keine Ruhe und Kälte ist etwas wert, als die e r w o r b e n e ; der Mensch muß der Leidenschaften zugleich f ä h i g und m ä c h t i g sein. Die Überströmungen des Willens gleichen denen der Flüsse, die alle Brunnen eine Zeitlang verunreinigen; nehmt ihr aber die Flüsse weg, so sind die Brunnen auch fort.

34

O, zum Mitleiden gehört nur ein Mensch, aber zur Mit-
freude ein Engel ... und es ist ebenso göttlich (oder noch
göttlicher), einer fremden Liebe mit einem stumm glück-
wünschenden Herzen zuzuschauen, als sie selber zu haben.

35

Das Leben gleicht einem Buch. Toren durchblättern es
flüchtig, der Weise liest es mit Bedacht, weil er weiß,
daß er es nur e i n mal lesen kann.

36

Nichts gibt's außer Großmut und Sanftmut Schöneres als
das Bündnis derselben.

37

Die Sprache ist ein Gewölk, in dem jede Phantasie ein
anderes Gebilde erblickt.

38

Wäre nur die Sprache zum Beispiel mehr von der hör-
baren als der sichtbaren Welt entlehnt, so hätten wir eine
ganz andere Philosophie und wahrscheinlich eine mehr
dynamische als atomistische.

39

Von der Stoa und dem Portikus des Denkens muß man
eine Aussicht haben in die epikurischen Gärten des Dichtens.

40

Der Unsinn spielt Versteckens leichter in den geräumigen
abgezogenen Kunstwörtern der Philosophen, da die Worte
wie die chinesischen Schatten mit ihrem Umfange zugleich
die Unsichtbarkeit und die Leerheit ihres Inhalts vermeh-
ren, als in den engen grünen Hülsen der Dichter.

41

Unter allen Wahrheiten glaubt man die am letzten, daß
gewisse Menschen mit keiner zu bekehren sind.

42

Kein Mensch im ganzen verdorbenen Europa kann gleich-
gültig sein gegen die Wahrheit als solche, weil diese ja
doch in letzter Instanz über sein Leben entscheidet; nur
ist jeder gegen die unzähligen Irrlehrer und Irrprediger
derselben endlich kalt und scheu geworden.

43

Da wir jahrelang mit vollen Wörtern uns erinnern und
phantasieren, so merken wir es nicht sogleich, wenn wir
mit leeren denken; etwa wie Darwin behauptet, daß
einer, der lange die gefüllte Pfeife im Munde gehabt, es
im Dunkeln nicht sogleich würde inne werden, daß er sie
ausgeraucht.

44

Schwächlinge müssen lügen, sie mögen es hassen, wie sie
wollen. Ein Drohblick treibt sie mitten ins Lügengarn.

45

Eine Lüge, die einen Knoten löst, ist uns glaublicher als
eine, die einen knüpft.

46

Es gibt so treffliche chemische Verschmelzungen von Wahrheit und Lüge, wo die Lüge wegen der stärkeren Wahl-
verwandtschaft mit der Wahrheit latent und gebunden
bleibt.

47

Erbärmlich ist's freilich, und zwar sehr, wie oft die Menschen einander nur halb vernehmen und ganz mißverstehen.

48

Um einen Menschen vollkommen zu verstehen, müßte
man seine Dublette sein und noch dazu sein Leben gelebt
haben.

49

Wieviel Menschen verdienen es denn überhaupt, daß man
sich von ihnen lieben läßt?

50

Wenn es glatteist, gehen die Menschen sehr Arm in Arm.

51

Nach der Kraft gibt es nichts so Hohes als ihre Beherr-
schung. Der innere Mensch ist (wie nach Platos Dichtung
der äußere) in Mann und Weib gespalten; aber seine Vollendung besteht in der Wiedervereinigung der Macht und
Milde.

52

Uns alle zieht eine Garnitur von faden, flachen Tagen
wie von Glasperlen ins Grab, die nur zuweilen eine orien-
talische wie ein Knoten abteilt.

53

Man hört in der Welt leichter ein Echo als eine Antwort.

54

Die Menschen soll keiner belachen, als einer, der sie recht
herzlich liebt.

55

Überall geht in und außer dem Menschen mehr ungesehen
vorüber als gesehen.

56

Es ist nur zu gewiß, daß gewisse Menschen, die zu Philosophen oder auch zu Dichtern organisiert sind, gerade
dann — und zwar allemal — statt ihres Zustandes allgemeine Ideen beschauen, wo es andere gar nicht können und wo sie nichts sind als Ichs: nämlich in den größten Gefahren, in den größten Leiden, in den größten
Freuden.

57

So ist der Mensch: im großen Elend richtet ihn die
nächste frohe Minute auf; im großen Glück schlägt ihn
die entfernteste, noch unter dem Horizont stehende trübe
nieder.

Wie manche sich mit ihrer Seele, so unterhalten sich andere mit ihrem Körper und sehen von Zeit zu Zeit nicht die Natur, sondern ihr Wasser an, um daraus die Kenntnis zu schöpfen, ob sie sich sehr abhärmen oder nicht.

Keinem Menschen ist schwerer Langweile zu geben als einem, der sie selber immer austeilt.

Tragt doch nicht, ihr gesetzten, steifen, ritterlichen Menschen, auch an den Pantoffeln Sporen — und ihr feurigen, spannt dem Leichenwagen keine Hengste vor!

Wo uns ein Z i e l göttlich erscheint, da muß es auch die B a h n gewesen sein, weil diese jenes war und jenes diese wird. Wir sind dir wohl alle näher, Unendlicher, als wir es wissen (denn du nur kannst es wissen), und wir leben i n dir, nicht bloß v o n dir, so wie unsere Erde mitten in der Atmosphäre des Sonnenkörpers geht, indes sie nur von ferne um sein Licht zu ziehen scheint.

Ein guter Arzt rettet, wenn nicht immer von der Krankheit, doch von einem schlechten Arzte.

Die Liebe ist eine angeborne aber verschieden ausgeteilte Kraft und Blutwärme des Herzens: es gibt kalt- und warmblütige Seelen wie Tiere. Manche sind geborne Ritter von der Liebe des Nächsten (wie Montaigne), manche bewaffnete Neutrale gegen die Menschheit.

Wenn jemand bescheiden bleibt, nicht beim Lobe, sondern beim Tadel, dann ist er's.

Die Geister brauchen Freiheit, aber keine Gleichheit.

Die politische Gleichheit muß das Ersatzmittel der physischen sein.

Wenn dir nun alles Irdische bis auf jede Kleinigkeit gelänge und die kleinsten und größten Wünsche sich dir erfüllten, so hättest du doch nichts davon als einen größern Wunsch, der nicht zu erreichen wäre.

Wenn man beim Stiche der Biene oder des Schicksals nicht stille hält, so reißet der Stachel ab und bleibt zurück.

Weder die Furcht noch die Hoffnungen des Menschen treffen ein, sondern immer etwas anderes.

Der Pöbel und das Vieh schwindeln auf keinem Abgrundsabhang, aber wohl der Mensch.

Die Einzelwesen haben Lehrjahre, die Staaten Lehrjahrhunderte; aber sind beide freigesprochen, so sind doch wieder Lehrstunden und Sonntagsschulen nachzuholen.

(Trost:) Staatsschiffe, welche die Segel verloren, haben darum noch nicht die Anker eingebüßt.

Übersteigt ihr euere Zeit zu hoch, so geht es eueren Ohren vonseiten der Fama nicht viel besser, als sinkt ihr unter solche zu tief. Wirklich, ganz ähnlicherweise spürte Charlis oben in der Luftkugel und Halley unten in der Taucherglocke gleichen besonderen Schmerz in den Ohren.

74

Der Bürger liebt schon mehr den Menschen im Bürger als der Bruder im Bruder, der Vater im Sohn. Vaterlandsliebe ist nichts als ein eingeschränkter Kosmopolitismus, und die höhere Menschenliebe ist des Weisen Vaterlandsliebe für die ganze Erde.

75

In uns liegt ein Trieb und Instinkt der Zukunft.

76

Der Gedanke der Unsterblichkeit ist ein leuchtendes Meer, wo der, der sich darin badet, von lauter Sternen umgeben ist.

77

Erdrückte uns die Fülle des Raumes, so würde es auch die der Zeit tun, die vor unsrer Geburt die Zeiten ins Ewige zurückhäufte.

78

Das Volk ist ein gerader Stamm, aber alle Späne, in welche ihn die Staatsdrechsler teilen, krümmen sich.

79

Um den Freund und jeden Menschen zart und recht zu behandeln, muß man ihm nicht bloß nach der Achtung begegnen, die wir für ihn empfinden, sondern auch nach der Achtung, die er für uns trägt und die wir zu erraten suchen müssen, weil gerade die letztere dem andern den oft phantastischen Grad der Schmerzen oder Freuden zumißt, die wir ihm geben.

80

Ein fallender Adam gibt nur Menschen, ein fallender Engel Teufel, und nur d e r könnte eine ganze Welt unglücklich machen, der eine ganze glücklich machen kann, zum Beispiel Gott.

81

Die geistreichste Gesellschaft bleibt nicht die, die der Schneider kleidet, sondern die der Buchbinder.

82

Die Sprechfreiheit wird ordentlich größer, je kleiner die Zahl der Sprecher und Hörer ist — sodaß einer die allergrößte, aber fast zügellose Denk- und Sprechfreiheit genießt, der gar nur mit e i n e m spricht, nämlich mit sich selber.

83

Ein Jahrhundert ist oft der Anachronismus eines andern.

84

Zwei Disputanten vereinen sich selten, nicht weil der eine die Gründe des andern nicht besiegen kann, sondern weil sich seine Meinung auf etwas mehr als diese besiegten Gründe stützt, da sie mit seinen übrigen Ideen und seinem ganzen Wesen verwachsen und zusammengewurzelt ist. Eine solche seltene Auswurzelung ackert den halben Kopf um.

85

Jede unsittliche Gewalt endigt wie die reißenden Stromwirbel, welche ihren Kessel zuletzt so sehr ausweiten und aushöhlen, daß sie selber untergehen und stehen müssen.

Einzelne Seelen, ja Staatskörper gleichen organischen Körpern: zieht man aus ihnen die innere Luft heraus, so erquetscht sie der Dunstkreis; pumpt man unter der Glocke die äußere widerstehende hinweg, so schwellen sie von innerer über und zerplatzen. Demnach behalte jeder Staat innern und äußern Widerstand zugleich.

Die Völker lassen — als Widerspiele der Ströme, die in der Ebene und Ruhe am meisten das Unreine niederschlagen — gerade nur im stärksten Bewegen das Schlechte fallen, und sie werden desto schmutziger, je länger sie in trägen platten Flächen weiterschleichen.

Wenn sich ein Mönch des zehnten Jahrhunderts schwermütig eingeschlossen und über die Erde — aber nicht über ihr Ende, sondern über ihre Zukunft — nachgedacht hätte: wäre nicht in seinen Träumen das dreizehnte schon ein helleres gewesen, und das achtzehnte bloß ein melioriertes zehntes?

Kann der gedachte Mönch richtig kalkulieren, wenn er solche Größen wie Amerika, Schießpulver und Druckerschwärze nicht ansetzt? — Eine neue Religion, ein neuer Alexander, eine neue Krankheit, ein neuer Franklin kann den Waldstrom, dessen Weg und Inhalt wir auf unserer Rechenhaut verjüngen wollen, brechen, verschlucken, dämmen, umlenken. Noch liegen vier Weltteile voll angeketteter wilder Völker — ihre Kette wird täglich dünner — die Zeit schließet sie los — welche Verwüstung, wenigstens Veränderungen müssen diese nicht auf der kleinen Grünfläche unserer kultivierten Länder anrichten? — Gleichwohl müssen alle Völker der Erde einmal zusam-

mengegossen werden und sich in gemeinschaftlicher Gärung abklären, wenn einmal dieser Lebensdunstkreis heiter werden soll.

90

Der Skeptizismus, der uns statt hartgläubig ungläubig macht und statt der Augen das Licht reinigen will, wird zum Unsinn und zur fürchterlichsten philosophischen Lethargie und Atonie.

91

Allerdings dient mir alles, aber ich diene auch allen. Da es für die Natur, die bei ihrer Ewigkeit keinen Zeitverlust, bei ihrer Unerschöpflichkeit keinen Kraftverlust kennt, kein anderes Gesetz der Sparsamkeit gibt als das der Verschwendung — da sie mit Eiern und Samenkörnern ebensogut der Ernährung als der Fortpflanzung dient und mit einer unentwickelten Keimwelt eine halbe entwickelte erhält — da ihr Weg über keine Billardtafel sondern über Alpen und Meere geht: so muß unser kleines Herz sie mißverstehen, es mag hoffen oder fürchten. Es muß in der Aufklärung Morgen- und Abendröte gegenseitig verwechseln; es muß im Vergnügen bald den Nachsommer für den Frühling, bald den Nachwinter für den Herbst ansehen. Die moralischen Revolutionen machen uns mehr irre als die physischen, weil jene ihrer Natur nach einen größeren Spiel- und Zeitraum einnehmen als diese, und doch sind die finstern Jahrhunderte nichts als eine Immersion in den Schatten des Saturns oder eine Sonnenfinsternis ohne Verweilen. Ein Mensch, der sechstausend Jahre alt wäre, würde zu den sechs Schöpfungstagen der Weltgeschichte sagen: sie sind gut.

92

Das gestörte Gleichgewicht der eignen Kräfte macht den einzelnen Menschen elend; die Ungleichheit der Bürger, die Ungleichheit der Völker macht die Erde elend.

Nicht die Ungleichheit der Güter am meisten — denn dem Reichen hält die Stimmen- und Fäustemehrheit der Armen die Waage — sondern die Ungleichheit der Kultur macht und verteilt die politischen Druckwerke und Druckpumpen.

94

Bei der fürchterlichen Ungleichheit der Völker in Macht, Reichtum, Kultur kann nur ein allgemeines Stürmen aus allen Kompaßecken sich mit einer dauerhaften Windstille beschließen. Ein ewiges Gleichgewicht von Europa setzt ein Gleichgewicht der vier übrigen Weltteile voraus, welches man (kleine Vibrationen abgerechnet) unserer Kugel versprechen kann. Man wird künftig ebensowenig einen Wilden als eine Insel entdecken. Ein Volk muß das andere aus seinen Tölpeljahren ziehen. Die gleichere Kultur wird die Kommerzientraktate [Handelsverträge] mit gleichern Vorteilen abschließen. Die längsten Regenmonate der Menschheit — die in die Völkerpflanzungen allezeit fielen, so wie man Blumen allezeit an trüben Tagen versetzt — haben ausgewittert. Noch steht ein Gespenst aus der Mitternacht da, das weit in die Zeiten des Lichts hereinreicht: der Krieg. Aber den Wappen-Adlern wachsen Krallen und Schnäbel so lange, bis sie sich wie Eberhauer krümmen und sich selber unbrauchbar machen. Dieses lange Gewitter, das schon seit sechs Jahrtausenden über unserer Kugel steht, stürmt fort, bis Wolken und Erde einander mit einem gleichen Maß von Blitzmaterie vollgeschlagen haben.

95

Früher waren Kriegsmaschinen die Säemaschinen neuer Kenntnisse, indes sie alte Ernten niederdrückten; jetzt ist's die Presse, die den Samenstaub weiter und sanfter wirft. Statt eines Alexanders brauchte jetzt Griechenland nichts nach Asien zu schicken als einen Setzer. Der Eroberer inokuliert, der Schriftsteller säet.

Es kommt einmal ein goldenes Zeitalter, das jeder Weise und Tugendhafte schon jetzt genießet, und wo die Menschen es leichter haben, gut zu leben, weil sie es leichter haben, überhaupt zu leben, — wo Individuen, aber nicht Völker sündigen — wo die Menschen nicht m e h r F r e u d e (denn diesen Honig ziehen sie aus jeder Blume und Blattlaus), sondern m e h r T u g e n d haben — wo das Volk am Denken und der Denker am Arbeiten Anteil nimmt, damit er sich die Heloten erspare — wo man den kriegerischen und juristischen Mord verdammt und nur zuweilen mit dem Pfluge Kanonenkugeln aufackert.

Wenn diese Zeit da ist, so stockt beim Übergewicht des Guten die Maschine nicht mehr durch Friktionen. Wenn sie da ist, so liegt nicht notwendig in der menschlichen Natur, daß sie wieder ausarte und wieder Gewitter aufziehe, denn bisher lag das Edle bloß im fliehenden Kampfe mit dem übermächtigen Schlimmen, so wie es auch auf der heißen Sankt-Helenen-Insel kein Gewitter gibt.

Wenn diese Festzeit kommt, dann sind unsere Kindeskinder — nicht mehr. Wir stehen am Abend und sehen nach unserem dunkeln Tag die Sonne durchglühend untergehen und uns den heitern, stillen Sabbatstag der Menschheit hinter der letzten Wolke versprechen; aber unsere Nachkommenschaft geht noch durch eine Nacht voll Wind und durch einen Nebel voll Gift, bis endlich über eine glücklichere Erde ein ewiger Morgenwind voll Blütengeister, vor der Sonne ziehend, alle Wolken verdrängend, an Menschen ohne Seufzer weht. Die Astronomie verspricht der Erde ein ewiges Frühlingsäquinoktium und die Geschichte verspricht ihr ein höheres; vielleicht fallen beide ewige Frühlinge ineinander.

Wir Niedergesenkte, da der Mensch unter den Menschen verschwindet, müsen uns vor der Menschheit erheben.

Wie man mit Lichtern zunachts über die Alpen von Eis reiset, um nicht vor den Abgründen und vor dem langen Wege zu erschrecken, so legt das Schicksal Nacht um uns und reicht uns nur Fackeln für den nächsten Weg, damit wir uns nicht betrüben über die Klüfte der Zukunft und über die Entfernung des Ziels.

Es gab Jahrhunderte, wo die Menschheit mit verbundenen Augen geführt wurde — von einem Gefängnis ins andere. Es gab andere Jahrhunderte, wo Gespenster die ganze Nacht polterten und umstürzten, und am andern Morgen war nichts verrückt. Es kann keine anderen Jahrhunderte geben als solche, wo Individuen sterben, wenn Völker steigen, wo Völker zerfallen, wenn das Menschengeschlecht steigt, wo dieses sinkt, stürzt, endigt mit der verstiebenden Kugel. — Was tröstet uns? —
Ein verschleiertes Auge hinter der Zeit, ein unendliches Herz jenseits der Welt. Es gibt eine höhere Ordnung der Dinge als wir erweisen können — es gibt eine Vorsehung in der Weltgeschichte und in eines jeden Leben, die die Vernunft aus Kühnheit leugnet und die das Herz aus Kühnheit glaubt — es muß eine Vorsehung geben, die nach andern Regeln, als wir bisher zum Grunde legten, diese verwirrte Erde verknüpft als Tochterland mit einer höhern Stadt Gottes — es muß einen Gott, eine Tugend, eine Ewigkeit geben.

ÜBER
DEN GOTT IN DER GESCHICHTE
UND IM LEBEN
[1809; hier etwas gekürzt.]

Wer mit Goethe sagt: „Das Schicksal will gewöhnlich mit vielem nur wenig", dem ist die „Weltgeschichte ein Weltgericht", aber eines, das unaufhörlich verdammt — und sich mit.

Allerdings blickt die Vergangenheit uns so grausend an wie ein aufgedeckter Meeresboden, welcher voll liegt von Gerippen, Untieren, Kanonen, modernden Kostbarkeiten und verwitternden Götterstatuen. Es möge denn hier ein Geist, der sich an der Vergangenheit noch blutiger abquält als andere an der Gegenwart, seine Klage über den Weltgang recht aussprechen. Das Gleichnis vom Meere (wird er sagen) reicht weit genug; wir schiffen und holen auf dem leuchtenden und grünenden Meere; aber unter uns liegen die Bettler mit ihren Schätzen und Knochen, welche auch einst freudig darüber gefahren.

Schwer geht das Erstarken der Staaten, flüchtig ihr Vollblühen, ekel-langsam ihr Niederfaulen.

Hoffe nur kein Herz Nachhilfe oder Rettung auf seiner Bahn zu irgendeinem reinsten Ziel! — Allerdings greift vielleicht ein Arm aus der Wolke herab, aber ebenso oft, um eine Eiche beim Wipfel aus der Wurzel zu reißen, als eine gegen den Sturm aufrecht zu halten. Und darauf wollt ihr doch euch wundern, wenn euch Einzelnen mitten

*im Ausstrecken euerer Hand, um zu helfen oder zurecht-
zuweisen oder um eine fremde zu drücken, diese Hand
von einem unsichtbaren Schlage abgehauen wird? Was ist
denn das beste, was ihr vorhabt, gegen das beste, das schon
verwehrt und verzehrt worden?*

*Auch was nur einmal da ist und nie wiederkommt, Alex-
andrinische Bibliotheken, Schiffe und Städte voll Kunst-
gebilde sanken unter, samt unersetzlichen Gedanken unsterblicher Griechen.*

*Der besondere Saatwurf eines großen Individuums —
entsprösse auch daraus ein seliges Jahrtausend — gilt
vor dem Verhängnis so viel wie der Saatwurf eines Völker vergiftenden Samens; zufällig wird der eine, zufällig
der andere beregnet, nicht einmal der Giftsame aus-
schließlich. Oft wählt das Verhängnis auf dem Scheide-
wege zwischen Fegfeuer und Höllenfeuer das letztere.*

*Zuweilen wirft das Verhängnis in die eine Waagschale so
viel Leichen und Siege als in die andere, damit von neuem
nachgeworfen werden muß. Z w e i m a l muß Nelson auf
dem Wasser entscheidend siegen, z w e i m a l Napoleon auf
dem Lande, bloß damit entweder dort oder hier ein
neuer Bluttränennachguß in die Schalen die wägende
steilrechte Zunge beuge.*

*Und eben das grausamste in der Geschichte ist dieser
Wechsel zwischen Glücken und Mißglücken jedes sittlichen oder unsittlichen Zwecks — fast ähnlich dem Jubeln,
Befruchten und Lieben der organischen Welt im Frühling
auf der einen Seite und dem Zusammenfressen auf der
andern; der ganze frohe Frühling ist voll ungehörtem
Mord in drei Elementen, nur daß sich der Mord noch
stiller im lauten Meere begeht, in welchem kein Leben
anders lebt als von einem andern Leben, und welches gerade zwei Drittel der Erde ausmacht. Nur etwas sucht
das Verhängnis heim, nicht die eigene Schuld des Her-*

zens, sondern die unschuldige Schuld des Kopfes, und gegen e i n Laster werden hundert Dummheiten gezüchtigt. So ist die Welt und unser Trost!

Gleichwohl könnte jemand diese Verzweiflung nachbeten, ohne darum etwas anderes zu bleiben als ein Christ; denn er nähme bloß die Kirchhofsmauer zu seinem Verteidigungswall und den kühnen Ausweg oder Ausflug in die zweite Welt, für deren Vorschule, Vorhimmel und Vorhölle er die erste erklärte, wozu er denn auch alle übrigen Erden und Sonnen noch schlagen müßte, da alles Irdische ein Unteilbares ist. Aber dieses ist auch ein Unanmeßbares (Inkommensurables) für die geistige Zukunft. Jede Welt von beiden muß sich selber rechtfertigen. Den erwarteten Gott der Ewigkeit kenn' ich denn schon in meinem jetzigen Innern, das eben in Z e i t und Geschichte wandelt; folglich hab' ich durch den mir im Erdenherzen mitgegebnen Ewigkeitsgott schon ein jetziges Verhältnis oder Mißhältnis mit der gleichzeitigen Erde mitbekommen und zu erkennen.

Er nimmt in der Weltgeschichte d r e i Gestalten an. Laßt uns jede beschauen, aber sogleich uns vornehmen, daß wir den Unendlichen nicht als maître de plaisir unseres Erdballs, sondern als den hinaufbildenden Lehrer und Vater seiner Kindervölker suchen und schauen wollen!

In der e r s t e n, wo er als Gerichts- und Heilsordnung der Völker erscheint, hat ihn Herder am schönsten gemalt. Alle Gesetze der physischen Welt wenden sich — heilend, segnend, strafend — auf die freie an. Und wie sollte dieselbe physische Gesetzmäßigkeit des physischen Wachsens, Blühens und Welkens nicht als geistige in Geistern auf Körper geimpft wieder umkehren? Obgleich der Einzelne frei ist — zur schwärzesten und zur lichtesten Tat — so ist die Masse doch nur eine beseelte schwere Körperschaft. Daher in der Geschichte, wo bisher die meisten Völker niedrig standen, die Völkermassen allen Stößen des Mechanismus gehorchen und erliegen. Denn alle jene Gesetze Herders: „Jedes Übermaß bestraft und vertilgt sich selber — der Überspannung folgt Abspannung, der Mäßigkeit Kraft, der Trägheit Kraftlosigkeit — entgegengesetzte Richtungen schwanken in einem Mittlern aus" — diese beherrschen Körper und Geister gleich sehr, und die Nemesis regierte früher über die Pflanzen und Tiere als über die Menschen. Aber die Freiheit des einzelnen, es sei des Sünders oder des Heiligen, kann geradezu sich entgegengesetzte Gesetze und Bahnen wählen und wühlen und auf Jahrhunderte die Welt irren oder segnen und der Nemesis trotzen.

Folglich treffen wir in der Geschichte auf zwei entgegengesetzte Erscheinungen, welche uns deren Gott verhüllen. Die e r s t e ist der Weltgang nach physischen Gesetzen, wonach Menschen und Staaten wie Bäume erstarken, aufblühen, ausblühen, sich abblättern und endlich aushöhlen. Und gerade dieses wiederkommende Untergehen gibt der Geschichte der Menschenmassen ein so trostloses Ansehen. Die Vorsehung läßt nun hier dem Lavastrome und dem Blitze wie dem Mondstrahle den Naturlauf und Flug; ob ein physisches Erdbeben oder ein Krieg Länder umstürzen, ist gleich erlaubt. Wenn indes in Afrika e i n Erdstoß sechshundert Städte auf einmal vergrub, so ist dieses doch nur zusammengerückter Tod und Winter, wie der Frühling ein zusammengerücktes Leben, und eine Klage klänge wie eine darüber, daß in jeder Minute auf unserer Kugel über sechzig Menschen sterben. Ebenso klingt das Jammern über die auf die erste Stufe zurückgefallenen Völker, d. h. über deren Urenkel, wie eine über deren Urahnen, die auch da lagen, und man müßte also weniger über den Verfolg als über den Anfang der Geschichte überhaupt wehklagen.

Die z w e i t e Erscheinung ist der Weltgang nach freigeistigen Gesetzen; aber dieser entzweit uns noch mehr mit *unsern Hoffnungen als der vorige. E i n Mensch stürzt und baut eine Welt, s o b a l d e r ' s w i l l. Wer sich opfern will, kann alles andere auch mitopfern. Zu auffliegenden Schiffen, zu fallenden Kronhäuptern, zu verbrennenden Städten und Raffaelen mit allen ihren unabsehlichen, aber physischen Folgen, kurz zu ganzem Land- und Erdensturm braucht es nichts als die erste beste Hand und ein Herz, das will. Daher könnt ihr leichter auf Jahrtausende die Gestalt des Sternenhimmels als die der Erde weissagen, weil ihr nicht wißt, welcher Schwarz geboren wird, der sie mit seinem Pulver pulverisiert; indes gilt dasselbe auch für den Himmel, nur aber, daß dort erst Jahrbillionen eine neue Sonne gebären, die alles verrückt. Auch solchen Menschenkometen läßt die reiche Natur ihr Stören aller Bahnen zu; denn sie ist mit geistigen und physischen Gesetzen bewaffnet genug, um damit — freilich mit Zeitverlust, wenn es einen für die unaufhörliche gäbe — die Schwankungen der Freiheit wieder mit der Regel auszugleichen.*

Indes ist dem physischen Lebenslauf der Völker noch eine Freiheit eingemischt, welche dem der Tiere abgeht, sowie dem freien Machtschwunge von Sturmmenschen noch ein Festes vorgeordnet, welches die Unterlage seiner steigenden Hebel ausmacht. — Wenn ein Volk gegen alle Bewegungsgesetze Jahrtausende in demselben Stande gegen die Sonne einwurzelt, wie China — wenn andere schnellläufig, dann rückläufig sind, wie griechische Staaten — wenn ein Volk, an ein größeres wie ein Mond an die Erde geknüpft, sich damit um die Sonne bewegt, wie Juden mit Christen — wenn ein anderes kometenartig nach der Sonnenferne in die Sonnennähe kommt, wie die Franzosen und Deutschen, und dann in jene und diese wiederkehrt — wenn ein anderes, wie andere Kometen, niemals umkehrt, wie Ägypter, so spricht schon die lahme unzulängliche Allegorie durch ihr eigenes Unvermögen, die Völkerbahnen zu beschreiben, die Verschiedenheit zwischen Weltkörpern und Geisterkörperschaften unwillkürlich aus. Denn eben kein Körperbild kann — in seine immer umlaufenden Wendezirkel gebannt — den gerade und zackig gehenden Völkergeist vorbilden. So ist das Bild von Aufblühen und Abwelken der Völker kein volles; denn jedes Volk hängt heute zu gleicher Zeit bedeckt voll Blüten, Früchte, Knospen und Welklaub, und morgen wieder voll, nur von andern aber. Hier wächst Klimax und Antiklimax ineinander. Fragt über die Vollblüte der Deutschen an: ob im Siege über das weltliche Rom? In der Niederlage vor dem geistlichen? In der Zeit der Kreuzzüge? Der Hanse? Der Ritter? Ob im fünfzehnten Jahrhundert, im sechzehnten, im jetzigen? Wo ist hier ein Fortsatz von Flug oder Fall? Oder greifen nicht beide zusammen, nur aber immer mit neuem Steigen und Fallen?

Ein Irrtum war noch der, daß man Vergänglichkeit der S t a a t e n oder Ablauf der Zeiten auf die V ö l k e r selber anwandte, welche ja immer verjüngt auf den Gräbern ihrer Staaten aufsprießen und, wie die Italiener im Mittelalter, auf dem großen Siebenhügel-Golgatha der Welt später neue von nordischem Blut gewässerte Wurzeln treiben und frische Griechenblüten. Wie könnt ihr in den runden Totentanz des umkehrenden Untersinkens menschlicher Schöpfungen, d. h. der Staaten, die göttlichen hineinziehen, die Völker selber, in welchen nichts anderes umkehrt als eben anderes, welche auf unverwelklichem Stamme frische lebensgrüne Zweige den abgehauenen nachtreiben? Aber Völker brauchen überall Zeit, und den Aufschub, wie den eines Frühlings, erstattet reichere Fülle.

Heben sich nun die Völker auf ihren Staatengräbern in neue Regionen empor — und kommen alle sich neu und anders entwickelnden europäischen immer mehr in erregende Berührung, bis zuletzt auch die der andern Welt-

teile in die große galvanische Säule und Geisterkette geraten: wie könntet ihr denn jetzt die allgemeine Ausgleichung zum Schwerpunkte einer vollendeten Zukunft
aus bloßen einzelnen Staaten abmessen und ausrechnen?

Erst müssen alle Völker unserer Kugel in einer gemein-
schaftlichen Ausbildung nebeneinander stehen, damit kein
rohes sich zersetzend in das gebildete mische; — denn wo
wäre die Unmöglichkeit, daß die Kultur nicht endlich
Volk nach Volk erfasse und präge, und nicht vielmehr die
Notwendigkeit, daß ihre wachsende Herrschaft nichts zur
Allherrschaft bedürfe als nur Zeit? — Einst brauchte
man einige Fenster zu verhängen, so war das Erden-
gebäude verfinstert; aber jetzt wären der Fenster zum
Verdecken zu viele, und selber im Finstern blieben Bücher als nachstrahlende Lichtmagneten zurück. — Ist einmal die Erdkugel, was physisch so unmöglich ist als bildlich notwendig, auf beiden Hälften erleuchtet, dann
muß jenes Kreislaufen von Steigen und Fallen nachlassen,
und wie auf niedrigsten Stufen langes Innehalten der
Völker (fast aller Wilden) waltet, so wird, wenn die
Jahreszeiten des Wachsens mit ihren Stürmen und Wechseln durchgelebt sind, auf der höchsten Stufe ein höheres
Ruhen wiederkehren, sowie der Wille und Verstand des
Einzelnen gerade auf dem zartesten Gipfel der Ausbildung am unveränderlichsten ruht.
Wenn uns die ganze Geschichte erzählt, daß die Menschen
leichter und länger in ganzen Scharen und Schwärmen
sich beflecken als sich heiligen; wenn Krieg, Seeräuberei,
Knechtschaft, Parteiwut tausend Herzen auf einmal und
auf lange besetzen, indes die Tugenden wie Engel nur
Einzelne begleiten: so hätten die Heere des Teufels längst
die zerstreuten Engel und das Glück der Erde überwäl-
tigt und eingeschattet, wenn nicht ein unbekannter, Weltteile, Zeiten und Völker ordnender Geist dazwischen

wehte, welcher bisher gerade umgekehrt ein wachsendes Heil aus dem weiten Unheil entwickelte. So steht ausgebreitet das salzige schmutzige Meer über der Erde; aber reines Wasser steigt daraus gen Himmel, fällt auf Berge zurück, und steigt aus der Erde auf, und tränkt und trägt mit reinen Strömen die Menschen.

Was unsern Blick am meisten verdunkelt, ist, daß wir die große Ausgleichung des geistig-freien Durcheinanderblühens und Welkens der Völker und ihr Zusammenreifen in irgendeinem Jahrtausend, kurz die k ö r p e r l i c h e Gegenwart der Gottheit schon Anno Eins oder als Geburtstagsangebinde begehren. Wir Eintagsfliegen wollen, wie an den Tertienuhren unseres Daseins, auch an der Jahrtausenduhr der Sternenzeit den Zeiger eilen sehen. Wir finden daher oft leichter Vorsicht und Gerechtigkeit in einem kurzen Menschen- ja Kindesleben als in langen Völkeraltern, so wie wir den Umlauf des Erdballs um die Sonne früher entdecken als den der Sonne um eine Ursonne, obgleich diese eiliger in ihrer weitern Bahn als die Erde in der engern zieht.

Das anhaltende Fieber, womit ein Volk sich seine Krankheitsmaterie durch Frost und Hitze austreibt, währet oft Jahrhunderte lang. Nur vergessen wir immer im Nachrechnen der hundertjährigen Völkerkrisen, daß die Störungen großer Weltkörper auch große Weltzeiten nötig haben zur Umkehr in den Regellauf. Die langen Räume brauchen lange Zeiten, und daher dann eine Dissonanz oft Länder und Jahrhunderte weit von dem Tone liegt, worin sie sich auflöst, wenn schon lange das beleidigte Ohr der Eintagsfliege verweset. Doch den Menschen entschuldigt die oft von ihm selber beschuldigte Geschichte, indem sie ihn zwischen dem trägen Aufwachsen und trägen Abwelken der Völker so oft mit einem schnellen Blütenaufbruch unterbricht und überrascht. Und diese Eilentwicklungen — gegründet in der moralischen und politischen Natur, welche, wie die organische, so oft scheinbares Einhalten mit plötzlichem Aufschießen abbricht — will eben der kurzlebige, auf den halben Sold eines halben Jahrhunderts gesetzte Mensch leibhaft erleben. Er woll' es; nur richt' er nicht das Weltgericht!

Hinter uns bewegt sich die Vergangenheit mit ihren Völkern eilig zu Zielen, weil die Ferne uns scheinbar Weg und Schritte verbirgt und verkürzt; aber um und vor uns will uns alles anstocken, alles kreislaufen, an kein Ziel anlangen. Er schaue auf zum überirdischen Himmel wie zum irdischen, wo ihm alle Sterne zu stocken und zu ruhen scheinen, und denke daran, welch ein fliegendes Gewimmel von Welten sich einem höhern Auge droben aufdeckt.

Wer von uns hätte erraten, d. h. also die Vorsehung der Vorsehung sein können, daß aus den reißenden Strömen des vierten, fünften, sechsten, zehnten Jahrhunderts noch die Goldkörner des sechzehnten u.s.w. gewaschen würden? Wer hätte gerade in der Nähe des ein halbes Jahrtausend lang offnen Grabes aller Wissenschaften daran zwei unsterbliche Wunderarzneien gesucht, die Erfindungen unseres Papiers und des Buchdrucks?

Es beweise ein großer Schriftsteller noch weiter fort: Leer und töricht ist nicht jede Predigt, die es selbst dem Weisen manchmal dünkt. Als Christus zu den Aposteln sagte: „Gehet hin in alle Welt und lehret alle Völker!" — möchte leicht ein Philosoph, der es gehört hätte, laut zu lachen angefangen haben. Wer hätte vor 300 Jahren wohl zu Rom geglaubt, daß ein Mönch in Deutschland dem dreifach Gekrönten die Hälfte seiner Herrschaft rauben und die andere Hälfte tödlich schwächen würde? Die mächtige Republik Holland entstand ohne alle dahin gehende Absicht und gegen alle Wahrscheinlichkeit. Nicht weniger unvermutet bestieg Karl II., nachdem alle seine Anschläge vereitelt waren und er nichts mehr tun konnte,

*den Thron von England. Alles lehrt uns, daß wir, was
geschehen wird, nicht wissen können. Darum trau' ich
mehr der Wahrheit, die ich klar empfinde, als ich meiner Vorsicht traue, die mich täglich irre führt, und als
dem Dunkel meiner Weisheit. Nimia praecautio dolus.
Das ewige Akkomodieren, das bei uns so sehr im
Schwange geht, ist nicht meine Sache. Ich begreife nicht
einmal den Stolz, der sich Wahrheit zu verwalten unter-
steht; das ist Gottes Sache. Also laßt uns nur ehrlich bekennen, was wir ehrlich glauben. Er wird schon zusehen.*

*So oft grub eine Zeit den ausgerissenen Baum bei dem
Wipfel in die Erde; aber siehe, letzerer wurde Wurzel
und diese jener.*

*Wir werden jetzt leicht zur versprochenen z w e i t e n
Ansicht geführt.*

*Auch den einzelnen Schwungmenschen — den Vordergei-
stern eines neuen Geisterreichs — wird bei aller Freiheit
ihrer Richtung doch die Zeit und Nachbarschaft ihrer
Einwirkung aufgenötigt, so wie die Werkzeuge, die Wur-
zelheber, die Ankerwinden, die Hebebäume ihrer Kraft,
und sie müssen dienen, um zu herrschen.*

*Ein B a u h e r r stellt sie an als die B a u m e i s t e r der
Staatsgebäude. Man behauptet, solchen Geburtshelfern der
Zeit sei schon alles von der Masse der Vergangenheit vor-
gearbeitet, und z. B. das Luthertum habe schon vor
Luther unter der Erde gekeimt, wenn auch nur in Kirch-
höfen aus der Asche verbrannter Ketzer. Aber man muß
hinzufügen: oftmals sind Länder vorbereitet und umge-
pflügt mit Schwertern, gedüngt mit Blute — und bleiben
doch brach, weil der Geist nicht kommt, der den guten
Samen aussäet, sondern bloß der Feind mit Krallen voll
Unkraut. Wiederum sind die Kreuzzüge, die französische
Revolution und so weiter von größeren Menschen gezeugt
und schwangergetragen worden und von kleineren als*

Wehmüttern entbunden. Klapperschlangen, welche den Riesen vergiften, zerschlägt die Rute in einer Kinderhand. Der Unendliche allein weiß es, wozu Europa jetzt reif ist, und ob ihm ein Säemann fehle oder komme. Die Völker mit aller ihrer Weltgeschichte gleichen den Epileptischen, welche, so oft sie auch ihren Zufall schon erlitten haben, doch niemals vorhersehen, wann er sie wieder hinwirft. Aber ebenso oft gleichen sie Gelähmten, welche unter einem Gewitter so lange zitterten, bis es sie traf, — und dann hatte der Blitz sie hergestellt.

Es ist ein Unterschied, wie Anfangsgeister einer neuen Zukunft zu Kronerben einer Vergangenheit und zu Herrschern der Gegenwart werden. Überall ackert ein Geist mit Übermacht der *intellektuellen* Kräfte leichter die Länder um und wurzelt sich darin mit seinen Pflanzungen ein als ein Geist mit Übermacht der *sittlichen*. Einsam steht der Heilige in seiner Kapelle, Sokrates in seinem Gefängnis; aber ganze Jahrhunderte werden von seinem Schüler Platon begeistert und besessen und von großen Gesetzgebern länger als von Dynastien beherrscht. Unter mehreren Ursachen ist auch dies eine: dem Geistesübermächtigen muß zuletzt auch der kopflose Gegenfüßler fröhnen und nachtraben; hingegen dem Herzensübermächtigen fühlt sich jeder als Bluts- und daher Kronverwandter nahe durch die göttliche Freiheit, womit jeder an sich der zweite Weltschöpfer und Gott und Kreatur zugleich sein kann. Natürlicherweise hatten Geister, welche am längsten die Welt bewegten, intellektuelles und sittliches Übervermögen, Kopf und Herz, zu *e i n e r* Macht verknüpft; vollends ein *H e i l i g e n s c h e i n* um einen großen Kopf greift mit Himmel und Erde, mit Gewitter und Erdbeben zugleich die Länder an und läßt hinter sich Thron und Tempel — gleich Muhammed. Indes wiewohl der Heilige einsam wirkt und seine Hände mehr gen Himmel hebt als wider die Erde, so treibt er doch

wie aus einem wundertätigen Grabe, obwohl unscheinbar,
fort; ein sittliches Musterbild teilt ohne Getöse stillen
Seelen Jahrhunderte nach Jahrhunderten segnende Kräfte
mit und treibt unten mit unsichtbarer Wärme Blumen
und Früchte ins Freie heraus. Verachtete Gebetbücher
fassen tiefer oft in Jahrhunderte hinein als die Manifeste
der Eroberer.

Nur e i n übermächtiger Geist des Herzens schließt sich
hier aus und geht, wie das Universum, einsam neben Gott.
Denn es trat einmal ein Einzelwesen auf die Erde, das
bloß mit s i t t l i c h e r Allmacht fremde Zeiten bezwang
und eine eigene Ewigkeit gründete, — das sanftblühend
und folgsam wie eine Sonnenblume, brennend und zie-
hend wie eine Sonne, selber dennoch mit seiner milden
Gestalt sich und Völker und Jahrhunderte zugleich nach
der All- und Ursonne bewegte und richtete: es ist der
stille Geist, den wir Jesus Christus nennen. Wa r er, so
ist eine Vorsehung, oder er wäre sie. Nur ruhiges Lehren
und ruhiges Sterben waren das Tönen, womit dieser
höhere Orpheus Mensch-Tiere bändigte und Felsen zu
Städten einstimmte. — Und doch sind uns aus einem so
göttlichen Leben, gleichsam aus einem dreißigjährigen
Kriege gegen ein dumpfes verzerrtes Volk, nur wenige
Wochen bekannt. Welche Handlungen und Worte von ihm
mögen vorher untergegangen sein, eh er nur seinen vier,
von Natur ihm so unähnlichen Geschichtsschreibern be-
kannt geworden? Wenn also die Vorsehung einem solchen
Sokrates keinen ähnlichen Platon zuschickte, und wenn
aus einem solchen göttlichen Lebensbuch uns nur ver-
stobene Blätter zuflogen — so daß vielleicht größere
Taten und Worte desselben vergessen als beschrieben wor-
den — so murrt und rechtet nicht über den Schiffbruch
kleiner Werke und Menschen, sondern erkennt im doch
nachher aufblühenden Christentum die Fülle wieder an,

womit der *Allgeist* jährlich mehr Blumen und Kerne untergehen als gedeihen läßt, ohne darum einen künftigen Frühling einzubüßen.

So nahe vor dem Bilde des größten Menschen dürfen wir uns vielleicht der d r i t t e n Ansicht, dem gewagten, ihm selber heiligen Glauben hingeben, daß ins kleine Leben des Einzelwesens noch etwas anderes eingreife als das allgemeine Welträderwerk. Oder wollt ihr so kühn sein, so viele Erfahrungen oder Bemerkungen frommer und wahrhaftiger Christen älterer Zeit bis zu Lavater und Stilling heran geradezu als Traum und Trug herabzuwerfen oder sie für bloße Verwechslungen mit allgemeinen Gesetzen oder mit Zufällen auszugeben? Es ist ebenso kühn, über diese Sache ein Ja als ein Nein auszusprechen; doch noch kühner wär' es, nach dem Ja einer besonderen Vorsehung zu leben; auf dem festen Lande des Handelns sind uns die himmlischen Sterne weniger zu Wegweisern nötig als auf dem Meere des Innern.

Gegen das Sprichwort, daß jeder seines Glücks (und Unglücks) Schmied sei und daß folglich das moralische Gesetz der Bauplan der Vorsehung sei, obsiegt die Einwendung schneller Beglückungen oder Verunglückungen nicht ganz; denn wir schreiben irrig immer nur unserer letzten und neuesten Handlung das neueste Glück und Unglück zu, und wir vernehmen von unserer Stimme, wie bei einem Echo, nur die l e t z t e n Silben widergehallt, indes hinter der letzten Tat, deren lange Ahnenreihe und Blutsverwandtschaft sich ins ganze Leben versteckt, welche uns entweder mit Gaben oder Ruten empfängt. — „Es ist Verhängnis", sagt die Jungfrau; „oder wird ein einziger Eitelkeitsabend so schwer gebüßt?" Ich antworte: „Du büßest nicht den Abend, sondern die Abende, und die Schuld borgender Jahre fordert irgendein letzter Martertag unbarmherzig ein." — Die Menschen verwundern sich erstlich, wenn e i n Tag lange Jahre straft; aber da-

für straft er wieder Jahre lang fort, und dann verwundern sie sich wieder zum zweitenmal.

Gleichwohl sagen schon Sprichwörter der Völker noch eine andere Erfahrung aus: „Kein Unglück kommt allein" (ich setze dazu: auch kein Glück, denn die Grazien sind so gut verbunden als die Furien), — ebenso die Bangigkeit der Griechen nach einem großen Glück. Und wer von uns stand nicht oft erschüttert vor seltsamen wiederkehrenden Einmischungen des großen Geschicks in das seinige? — Weltleute, mehr das Thronhimmliche als das Sternenhimmliche kennend, geben wiederkehrenden Seltsamkeiten des Lebens den Namen Glück und Unglück. Große Menschen glaubten (besonders vormals) am leichtesten an Vorsehung und Glück, — vielleicht weil in ihrem größeren Tatenleben alles in vergrößerter Schrift leichter zu lesen war. — „Du fährst den Cäsar und sein Glück", sagte Cäsar mit Recht, bis ihm die Nemesis an der Bildsäule des Pompejus mit Dolchen erschien. Luther vertrauete Gott, obsiegte dem Teufel, und seine Nemesis war bloß ein Todesengel, der ihn abholte ins Land voll Cherubs, wo vielleicht Flamme und Ruhe sich besser vertragen. Und wem tritt hier nicht der Held des Jahrhunderts vor das Auge, welcher, obwohl begleitet rechts von der kriegerischen und weisheitsvollen *P a l l a s* mit ihrem Medusenschilde, doch links von der Glücksgöttin geführt und beschirmt werden mußte, um die schwere Bahn durchzukommen? Auch glaubt der Wunderheros selber an sein Glück und hütet es daher mit griechischem Sinne überall durch Vorsichtsregeln. Wenn bei diesem Manne so viele Wunder wiederkommen, daß er z. B. z w e i m a l*) ein

---

*) Der Verfasser dieses spielt hier auf seinen eigenen, obwohl häufig bestätigten Aberglauben an, welchen er seit vielen Jahren spielend hegt und bekennt, der aber samt seinen Quellen mehr in seine kleine Lebensgeschichte gehört, auf den nämlich, daß aller guten (und bösen) Dinge nicht sowohl d r e i sind

paar krönende und entthronende Siege an demselben Monatstage abgewinnt, so darf man vielleicht wenigstens als spielende Zufälligkeiten desselben Glücks der Bemerkungen erwähnen, daß Napoleon im Polnischen heißt: weiter-siege, und daß die Wörter révolution française anagrammatisch lauten: un Corse la finira, wenn man das Veto herausläßt.

Lasse sich doch keine Seele vom Glauben an Gott in ihrer Lebensgeschichte etwa dadurch abneigen, daß sie zu klein dafür sei in der Menge der Geister und Sonnen. Wiegt ein verwitternder grober Sonnenklumpe ein geflügeltes Ich auf? Es zählt ja das arme lebendige Räupchen neben dir mit seinen Ahnen bis zu Adam weit hinauf, und seine Voreltern wurden, ungeachtet aller Sintfluten und Vögel und Jahreszeiten, dennoch seine Voreltern, und das diesjährige Laub grünte für das Räupchen! — Und wo gäb' es denn im All etwas echt Kleines? Das All geht ebensogut auf Würmchenfüßen als das Epos auf Versefüßen, und beide gehören dem Heldengedicht; aber dann muß der Dichter mitten im Feuer auch die kleinsten Füße lenken. Vor dem höchsten Auge muß das Kleinste wieder ein Größtes und All sein, und die Unendlichkeit der Teilbarkeit ist eine des Werts. Aber findet ihr denn nicht diese Wahrheit bei jedem Spaziergange auf jedem grünen Blatte? Ist etwan die niedrigste Mücke schlechter, unbestimmter ausgeführt mit Augen und Adern als der höchste Mensch? Die Natur kennt keinen Geiz, weder mit Kraft noch Zeit noch Verstand noch Leben, sowie keine Unbestimmtheit, auch keine Vorliebe für irgendein äußeres

---

(dies wäre ihm wahrer Aberglaube), sondern nur z w e i , und daß es keine Drillinge von Glück, Unglück, Adlern, Parlamentshäusern, Dioskuren usw. gebe, sondern nur Zwillinge. Denn der Drilling ist stets Gegenfüßler der Zwillinge. Zwei Siegen folgt z. B. kein dritter. [Auch an die Duplizität großer Erfindungen und Entdeckungen wäre hier zu erinnern.]

Leben; sie wirft in den Spinnenkopf eine unbewußte Meßkunst wie in ihres Newton's seinen eine bewußte.

Wie der alte ewige Ausbau des Blättchens und dessen Käfers eine s t e h e n d e Vorsehung ist, so ist die Geschichte beider Wesen und der Völker eine w a n d e l n d e.

Die Geschichte ist keine Ausgleichung zwischen Glück und Wert, obwohl eine langsame zwischen Gesamtgang und Einzelflug; daher wird euch die welthistorische Sonnenuhr selten richtig genug im Mondschein eueres Lebens zeigen können. Ihr verlangt, die stark besetzte Instrumentalnatur soll mit der lebendigen Vokalnatur in einer Note zusammentreffen; aber kann nicht euer Singstück hinauf und hinab sich ganz anders als das Instrumentalstück, das euch frei begleitet, und sich doch mit ihm harmonisch bewegen?

Dem Menschen geziemt's, bei dem demütigsten Herzen gleichwohl ein gläubig-offnes Auge für das Außerweltliche zu bewahren, um nicht Blumenstaub und Schwefelregen der Zukunft für bloßen Straßenstaub seines Wegs zu halten. Uns geziemt es, Begebenheiten, welche witzigen Einfällen des Ungefährs gleich scheinen, nachzusinnen, weil auch der Witz des Zufalls wie der menschliche zuletzt auf Regel und Besonnenheit beruht, damit wir nicht Pyramiden- und Persepolis-Ruinen, wie jener Gelehrte, für Aufwürfe der blinden Natur ansehen. Wenn Jahrtausende lang der Magnet dieselbe Himmelsgegend unserm leiblichen Auge vergeblich zeigt: wie leichter muß unserm Blicke und Gefühl das richtungs-wechselnde Einwehen des geistigen Äthers entfliehen! Wird uns doch sogar am so nahen Menschen das Absondern seines Scheines von seinem Willen so schwer! — Aber in einem stillen frommen Herzen nennt sich der Geschichtsgott lauter als im rauschenden Weltgebäude.

Verzweiflung ist der einzige echte Atheismus. Hole zum Glauben mit einem besonnenen Überglauben aus; achte